LES POSSIBLES

Virginie Grimaldi est l'autrice des best-sellers *Le Premier Jour du reste de ma vie* (City, 2015 ; Le Livre de Poche, 2016), *Tu comprendras quand tu seras plus grande* (Fayard, 2016 ; Le Livre de Poche, 2017), *Le parfum du bonheur est plus fort sous la pluie* (Fayard, 2017 ; Le Livre de Poche, 2018), *Il est grand temps de rallumer les étoiles* (Fayard, 2018 ; Le Livre de Poche, 2019), *Quand nos souvenirs viendront danser* (Fayard, 2019 ; Le Livre de Poche, 2020), *Et que ne durent que les moments doux* (Fayard, 2020 ; Le Livre de Poche, 2021) et *Les Possibles* (Fayard, 2021 ; Le Livre de Poche, 2022). Grâce à des personnages attachants et à une plume délicate, ses romans ont déjà séduit des millions de lecteurs et sont traduits dans plus de vingt langues. Virginie Grimaldi est la romancière française la plus lue de France depuis 2019 (Palmarès *Le Figaro* : GFK).

Paru au Livre de Poche :

CHÈRE MAMIE

CHÈRE MAMIE AU PAYS DU CONFINEMENT

ET QUE NE DURENT QUE LES MOMENTS DOUX

IL EST GRAND TEMPS DE RALLUMER LES ÉTOILES

LE PARFUM DU BONHEUR EST PLUS FORT SOUS LA PLUIE

LE PREMIER JOUR DU RESTE DE MA VIE

QUAND NOS SOUVENIRS VIENDRONT DANSER

TU COMPRENDRAS QUAND TU SERAS PLUS GRANDE

VIRGINIE GRIMALDI

Les Possibles

FAYARD

© Librairie Arthème Fayard, 2021.
ISBN : 978-2-253-24196-6 – 1re publication LGF

Pour mon père

Prologue

Papa.

C'est le premier mot que j'aie su prononcer.

Sur l'écran, la vidéo saute. La voix de mon père m'encourage à répéter, encore et encore. Assise sur une chaise haute en bois, le visage couvert de purée orange, j'enchaîne fièrement les syllabes, sans mesurer la déflagration qu'elles provoquent en lui.

Ma mère, le boulanger, son chef de service, ses collègues de l'usine, ses parents, la factrice, la pédiatre, l'employé de la station-service, la caissière du Codec, ma nourrice, ne sont qu'une infime partie des personnes qui ont eu vent de l'événement : j'avais articulé mon premier mot, et il n'était autre que « papa ».

Lors de mon mariage, c'est sur cette anecdote qu'il a ouvert son discours.

— Pa-pa-pa-pa-pa-pa-pa-pa-pa !
— Bravo, Juliane ! Bravo, ma chérie !

— Ma-man, tente avec conviction la voix de ma mère, provoquant l'hilarité de mon père et, par ricochet, la mienne.

L'écran devient noir. Retour dans le présent.

J'extrais la cassette du magnétoscope, je la glisse dans sa jaquette et la range dans un carton, avec les dizaines d'autres.

Papa.

Combien de fois l'ai-je prononcé ?

En riant, en boudant, en criant, en pleurant, en râlant, en jouant, en aimant.

Papa, regarde !

Papa, t'es où ?

Papa, t'es drôle.

Papa, on joue ?

Papa, t'es le meilleur !

Papa, t'es pas drôle.

Papa, j'ai plus l'âge de jouer.

Papa, dépose-moi plus loin.

Papa, tu m'accompagneras à l'autel ?

Papa, tu vas être papy.

Je ferme le carton, c'était le dernier. Ma sœur tire la porte de la chambre et me rejoint.

— On y va ?

— On y va.

Papa.

C'est le premier mot que j'aie su prononcer.

Un mot tout bête, qui sort sans qu'on y pense, sans demander la permission. Un mot comme un automatisme, comme une respiration. Un mot d'enfant, un mot d'amour.

Un mot comme un membre fantôme, qui fait mal quand il n'est plus là.

PARTIE 1

Le déni

Chapitre 1

Mon père s'appelle Jean, et c'est la seule chose qu'il fait comme les autres.

Enfant, j'idolâtrais ce papa haut en couleur, qui chantait à tue-tête au volant et nous servait un petit-déjeuner au dîner. C'est dans ses bras que je me réfugiais, sur son dos que j'attaquais les dragons, c'est à lui que je dédiais mes dessins, pour lui que je récitais des poèmes.

Adolescente, j'avais honte de ce père pas dans le rang, avec ses cheveux longs, ses shorts en jean et sa dégaine de prépubère, qui venait me chercher au collège à mobylette et parlait à mes potes comme si c'étaient les siens. C'est à son nez que je claquais la porte, sur lui que je criais, c'est à lui que je reprochais mes mauvaises notes, mon mal-être, mes échecs.

Adulte, je l'aime mais il m'exaspère, comme tout ce que je ne comprends pas. Il est mon exact opposé, nous sommes dépareillés. Je prends soin de rester dans les lignes, de respecter les contours ; il déborde allègrement, et, les contours, il s'assoit dessus avec son short.

Je suis en réunion quand son nom s'affiche sur l'écran de mon téléphone. Je ne l'ai pas vu depuis des mois, et, comme à son habitude, il choisit le moment le plus inopportun pour se manifester. J'étouffe la sonnerie et adresse un sourire d'excuses à mes collègues. Mon père n'est pas le cheveu sur la soupe, il est la touffe entière. Il rappelle immédiatement. Je raccroche. Troisième tentative, les regards désapprobateurs me poussent à décrocher. Mon « allô » est si sec que je m'intimide moi-même.

Dans le haut-parleur, ce n'est pas sa voix.

Je bafouille une explication et quitte la réunion en catastrophe.

Tout au long du trajet, mon imagination s'en donne à cœur joie. Le pompier m'a assuré qu'il n'y avait que des dégâts matériels, pourtant je ne peux écarter la possibilité qu'il attende que je sois face à lui pour m'annoncer le pire. J'envisage tout : trouver mon père éploré, en état de choc, le voir blessé, peut-être pire. Tout, sauf ce qui m'attend.

Dans son jardinet détrempé par les lances à incendie, sa maison calcinée en arrière-plan, mon père, aussi détendu qu'il est possible de l'être pour un vertébré, fanfaronne :

— Ça tombe bien, j'avais prévu de changer le papier peint !

Tout le monde s'esclaffe, des voisins curieux aux pompiers, alors, encouragé, il se tourne vers moi pour vérifier si moi aussi. Mon regard le reçoit comme il faut. Je suis tellement rassurée de le voir bien vivant que j'ai envie de le tuer. Loin de s'en formaliser, il avance vers moi en souriant.

Je n'ai pas quitté ma voiture, mes jambes flageolent trop.

— T'inquiète, Microbe, c'est que du matériel. Ils ont absolument voulu prévenir quelqu'un, j'ai pensé à toi, mais j'aurais pas dû. T'as autre chose à faire, hein. Tu vas bien ?

— Qu'est-ce qui s'est passé ?

Il hausse les épaules et passe sa main sur son crâne chauve.

— Apparemment j'ai vidé le cendrier dans la poubelle de la salle de bains, et il restait une clope mal éteinte. J'étais en train de faire mes courses, c'est madame Roustaing qui m'a prévenu. Tu la connais, toujours derrière sa fenêtre, la vieille chouette. Geronimo a dû avoir peur, il était dans le salon.

Il se tourne vers son chien, réfugié dans le jardin de la voisine, et lui adresse un geste de la main. L'animal remue la queue, et tout le corps avec.

La gêne n'a pas le temps de s'installer. Tandis que les pompiers rangent leur matériel, un gendarme fait signe à mon père de s'approcher.

— Je te laisse, ils vont m'expliquer toutes les démarches. Tu dois avoir du boulot, vas-y, je vais me débrouiller.

— Je reste encore un peu.

— Comme tu veux.

À peine a-t-il tourné les talons que madame Roustaing, la voisine d'en face, apparaît à ma portière, un sourire navré sur le visage.

— Il y a longtemps qu'on ne t'a pas vue par ici, ma petite Juliane ! J'aurais préféré que ce soit dans d'autres circonstances.

Depuis trente ans que je la connais, cette femme n'a pas changé. Je la soupçonne d'être née vieille. Je la salue brièvement sans me faire d'illusion : c'est moins mon état qui l'intéresse que les informations croustillantes que je pourrais lui fournir, et qu'elle pourrait à son tour dealer à tout le quartier comme de la bonne came. Elle n'a rien contre la délicatesse, mais avec parcimonie.

Un mercredi de mon adolescence, peu de temps après la séparation de mes parents, me sachant seule à la maison, elle était venue me demander si je pouvais la dépanner d'un peu de sel, et, accessoirement, si je connaissais le nom de l'amant de ma mère.

18

— Tu sais ce qui s'est passé ? s'enquiert-elle en désignant la maison fumante de mon père. C'est vraiment une cigarette ?

— Aucune idée, il faudrait interroger la poubelle.

Il faut plus qu'un sarcasme pour la décourager :

— Je m'y attendais, je suis même étonnée que ce ne soit pas arrivé avant.

— Pourquoi vous dites ça ?

Je regrette instantanément d'avoir mordu à son grossier hameçon. C'est Noël dans son regard :

— C'est qu'il est un peu bizarre, depuis quelque temps. Mais suis-je sotte, tu ne peux pas le savoir, tu n'es pas venue depuis des mois.

— Bizarre comment ?

Elle enfile une mine grave, regarde autour de nous, pour s'assurer qu'aucune oreille indiscrète ne vole son exclusivité, et murmure :

— Nous savons toi et moi qu'il a toujours été un peu, disons… original, mais, ces derniers temps, il ondule sévèrement de la toiture. Il sort ses poubelles tous les soirs, alors que les éboueurs passent le lundi, et il oublie souvent de fermer les volets la nuit. Une fois, il s'est absenté en laissant la porte grande ouverte, et l'autre matin je l'ai vu partir à la boulangerie en pyjama ! Je l'ai pris en photo, je n'en revenais pas. Mais ce n'est pas le pire.

Elle s'interrompt pour scruter ma réaction, je m'empresse de la lui céder :

— C'est quoi, le pire ?

Elle prend un ton obséquieux et se penche à mon oreille :

— La semaine dernière, il était dans son jardin, il a dû voir bouger mon rideau. J'ignore ce qu'il s'est imaginé, j'étais simplement en train de faire mon ménage, j'ai évidemment autre chose à faire qu'épier les gens. Bref, toujours est-il qu'il m'a adressé un signe de la main, puis il s'est retourné, il a baissé son pantalon, et il est rentré chez lui en dansant, les fesses à l'air.

Je dois me mordre les joues pour ne pas rire en imaginant mon père remuer son cul nu face au visage outré de madame Roustaing. Pendant qu'elle poursuit la liste des petites excentricités de son voisin, j'observe ce dernier, posté près du véhicule des gendarmes. Avec son jean délavé, son pull bariolé et ses baskets, il ne fait pas ses soixante-sept ans. C'est l'un de ses petits plaisirs, donner son âge, et s'entendre dire qu'il paraît plus jeune. Peut-être a-t-il un peu maigri, lui qui était déjà très fin. Il aurait aimé être plus costaud, mais la nature l'a doté d'un long corps noueux. Dans sa jeunesse, ses amis le surnommaient Cigogne, le complexant profondément.

— Tu n'es pas inquiète ? m'interroge madame Roustaing.

— Pas vraiment. Comme vous le dites, il a toujours été un peu original.

Elle écarquille les yeux :

— Tout de même ! Dois-je te répéter le spectacle qu'il m'a offert ?

— Non merci, je l'ai bien en tête.

— Bien. De toute manière, ce n'est plus mon affaire. Je ne le reverrai pas de sitôt.

— Ah ? Vous partez ?

Question polie, dont la réponse m'importe peu. Je ne lui consacre qu'une oreille distraite, prête à l'entendre m'exposer un séjour chez son fils ou une cure thermale pour ses rhumatismes. Mais non, pas de séjour, pas de cure. Comment n'y ai-je pas pensé avant ? Ce n'est pas elle qui part, évidemment. Avec la moitié de sa maison détruite, mon père ne peut pas rester là. Simultanément, la voix de madame Roustaing et ma conscience me posent la même question :

— Tu vas le prendre chez toi ?

Chapitre 2

J'ai fait de la place dans la chambre d'amis. Elle porte ce nom par coquetterie, en réalité il s'agit de la pièce où se planquent toutes les affaires qui n'ont trouvé d'autre endroit dans la maison. C'est le seul lieu où j'autorise ma part désordonnée à se manifester, ailleurs je l'étouffe à coups de balai et de chiffons.

C'est un héritage de mon père. Combien de fois l'ai-je entendu arguer que la vie était trop courte pour faire le ménage ? Globalement, selon lui, la vie est trop courte pour tout ce qui ressemble de près ou de loin à une contrainte. Le rangement, les papiers, les horaires, les conflits, les devoirs, les conventions, la fidélité. Lasse de vivre avec un adolescent, et après des années de tentatives pour le faire passer dans le camp des adultes, ma mère a fini par le quitter. La contrainte de vivre sans elle surpassant les autres, il a promis de changer, mais il était trop tard.

— Geronimo dort avec moi ! annonce-t-il en me rejoignant dans la chambre.

Le chien bondit sur le lit et se roule dans les draps propres. Sans avoir à me retourner, je visualise la mine désespérée de Gaëtan.

Je n'ai pas eu à convaincre mon mari d'accepter d'accueillir mon père chez nous. Il a un sens de la famille prononcé, j'ai même dû le refréner lorsqu'il a proposé qu'on lui laisse notre chambre. Néanmoins, je sais que mon père est la dernière personne que Gaëtan aurait souhaité héberger. Je suis à peu près certaine qu'il aurait plus volontiers ouvert notre porte à mon ex.

Ils sont aussi différents que l'on puisse l'être en appartenant à la même espèce. Gaëtan est calme, consciencieux et généreux, quand mon père est flamboyant, insouciant et uniquement mû par son bon plaisir. Je le soupçonne parfois de forcer le trait pour s'amuser des réactions de son gendre. Ils ne se comprennent pas, mais se tolèrent, en vertu de leur unique point commun : moi.

Je désigne les étagères disponibles :

— Tu peux ranger tes habits ici.

Mon père ouvre le sac de sport dans lequel il a emporté ses affaires. Il est presque vide. Les trois chambres et la salle de bains ont entièrement brûlé. La cuisine et le salon ont été épargnés. Il y a quelque chose de déchirant à le voir plier le seul pantalon encore en sa possession et à imaginer tous les autres, partis en fumée.

— Fais pas cette tronche, Microbe ! lâche-t-il comme s'il percevait mon trouble. Je vois bien que t'es jalouse parce que je vais devoir refaire ma garde-robe.

Ma réponse est assommée net par l'objet qu'il extirpe de son sac. Une espèce de casier entièrement recouvert de fausse fourrure.

— Qu'est-ce que c'est ?

— Un chauffe-pieds, s'illumine-t-il. Tu le branches, tu glisses tes pieds ici, et, en quelques secondes à peine, ça réchauffe. Même pas 49 euros, c'était une aubaine !

Je glousse, il me regarde comme si je l'avais insulté.

— Papa, pourquoi tu parles comme le gars du téléachat ?

— N'importe quoi ! Tu me demandes ce que c'est, je te réponds, c'est tout. En plus, Alexandre Devoise ne s'exprime pas du tout comme ça.

Ma répartie en reste coite. Mon père connaissant le nom du présentateur du téléachat est du domaine de l'inconcevable. Je préfère changer de sujet et lui proposer de m'accompagner pour aller chercher Charlie à l'école. Il suspend son geste et lâche la veste qu'il s'apprêtait à ranger, la laissant s'écraser mollement au sol :

— Bien sûr ! Tu lui as dit que je m'installais là ?

— Pas encore. Je suis avec toi depuis ce matin, je ne l'ai pas vu.

— Tu aurais pu lui envoyer un message.

— Il a sept ans, papa, il n'a pas de téléphone.

Il me contemple longuement, puis lève les yeux au ciel :

— Laisse tomber. On y va ? J'ai hâte qu'on lui annonce, il va être content, *lui*.

Le dernier mot est prononcé avec insistance et un bref regard en direction de Gaëtan, qui redresse un cadre déjà droit dans le couloir. Je lui caresse le dos en passant à sa hauteur, il tente un sourire, mais son visage mériterait une place dans le *Petit Larousse*, à côté du mot « constipation ».

Chapitre 3

Comme chaque soir, Charlie est le premier à sortir. Suivi de son cartable à roulettes, il court vers mes bras tendus, avise son grand-père et dévie sa trajectoire pour atterrir dans ses bras tendus à lui. Tandis que je range mes mains et mon ego dans mes poches, la maîtresse me fait signe de la rejoindre au portail. Je redoute ses signes. Ils précèdent souvent les nuits d'angoisse.

Cette fois, rien de grave. Charlie est resté muet quand elle lui a demandé de réciter une poésie. Hier soir, il la connaissait parfaitement, mais je me garde bien de le lui révéler. À la place, j'invente une histoire de cahier introuvable et je promets que cela ne se reproduira plus, en croisant les doigts dans la poche de ma veste.

— Tout se passe bien, à part ça ? je demande.

— Aussi bien que possible.

Pour me signifier la fin de la conversation et me dissuader d'oser poser une nouvelle question, la maîtresse détourne le regard et s'adresse à un élève. Depuis la maternelle, Charlie n'a eu que des professeurs généreux et attentifs. La réputation de son enseignante de CE1 la précède, mais je fuis les rumeurs et préfère me forger mon propre avis. Il est fait.

Peu de temps après la rentrée, je l'avais rencontrée pour lui raconter le parcours de Charlie.

Il avait trois ans lorsque j'ai commencé à vraiment m'inquiéter. Il ne prononçait aucun mot et ne les comprenait pas davantage. Autour de nous, tout le monde – y compris la famille – affirmait que je me faisais du souci pour rien, qu'il saisissait parfaitement ce qu'on lui disait. La preuve : quand on lui annonçait une promenade, il courait vers la porte ; quand on lui proposait un gâteau, il se frottait le ventre. Ce que j'étais la seule à voir, c'est que ce n'était pas aux phrases qu'il réagissait. Il ne courait pas vers la porte si on n'attrapait pas les chaussures. Il ne se frottait pas le ventre si on ne sortait pas le paquet de biscuits. Non accompagnés de gestes, les mots se perdaient en chemin.

Il aura fallu une pédiatre plus à l'écoute que la première – laquelle avait asséné que mon anxiété freinait le développement de Charlie – pour que l'on avance enfin et que l'on pénètre un monde seulement connu des familles concernées : un univers peuplé de bilans, d'examens, de centres médicaux, d'orthophonistes, de psychomotriciens, de pédopsychiatres, de psychologues, de fausses joies et de vraies angoisses. C'est là, dans les salles d'attente, dans les nuits tourmentées, que j'ai compris le sens premier du terme « patient ». Des années pour écarter une surdité, un trouble autistique, un déficit intellectuel, un retard simple de langage, des années pour mettre un mot sur celui qui ne les comprenait pas. Dysphasie. Difficulté à produire et comprendre un message.

On se passerait bien d'un diagnostic. C'est une étiquette autour du cou, qui clame que quelque chose ne va pas. Qu'il nomme une maladie ou un handicap, le diagnostic met à la marge, fait faire un pas de côté. Pourtant, le jour où le couperet est tombé, j'ai ressenti, en même temps qu'une inquiétude viscérale pour mon petit garçon, un intense soulagement. Enfin, on savait. Non, il n'était pas dans la lune, hautain ou malpoli. Lorsqu'il ne répondait pas, ce n'était pas par provocation.

Grâce à trois ans de rééducation et à une orthophoniste investie, son trouble se fait tout petit. Il y a encore des hésitations, des mots écorchés, des phrases tournebulées, il y a encore des yeux dans le vague quand un verbe le met en défaut ou qu'un adjectif le nargue. Son cerveau n'emprunte pas le même chemin que le nôtre, il fait des détours, des boucles, il

28

loupe des étapes, mais il fait preuve d'une capa-
cité d'adaptation impressionnante.

Les inquiétudes se sont évaporées, la seule qui
reste désormais concerne les autres. Il n'est pas
rare que Charlie rentre de l'école chamboulé par
les moqueries subies. Récemment, après avoir
longuement séché ses larmes, j'ai été à ça d'aller
en découdre avec la délinquante qui l'avait bous-
culé.

— On parle d'une petite de cinq ans, a dû me
rappeler Gaëtan.

— Je ne te le fais pas dire. Qu'est-ce que ce
sera quand elle sera adulte ?

— Juliane, c'est une enfant, a insisté le rabat-
joie.

De mauvaise grâce, j'ai consenti à me contenter
d'en parler à ses parents, non sans promettre à la
catcheuse qui sommeillait en moi qu'elle pourrait
surgir au moindre croche-patte.

En début d'année, j'avais le sentiment que
la maîtresse prenait la mesure des difficultés
de Charlie et qu'elle ferait de son mieux pour
l'aider. J'ai déchanté en feuilletant son cahier
du jour. Dans la marge de chaque exercice,
un commentaire pointait ses failles. « Tu n'as
pas compris la consigne » ; « Tu dois mieux
lire l'énoncé » ; « On ne comprend pas ce que
tu veux dire ». Quand je lui ai demandé des
explications, elle a rétorqué que l'entretenir

dans ses faiblesses n'allait pas lui rendre service, qu'il fallait qu'il déploie davantage d'efforts s'il voulait devenir comme les autres. À ses yeux, la bienveillance était manifestement un pays lointain.

Dans la voiture, Charlie est survolté. Habituellement, je dois y aller au pied-de-biche pour recueillir quelques anecdotes sur sa journée, le passage du portail agissant vraisemblablement comme un effaceur de mémoire. C'est toujours le soir, au moment du coucher, que tout lui revient subitement et qu'il devient intarissable. Mais la présence de son grand-père semble le galvaniser, il raconte les multiplications, les haricots verts, le foot, la fuite d'eau à la cantine.

— Tu m'as manqué, papy !

Il lâche l'information l'air de rien, entre une histoire de billes et un nuage en forme de dragon. Mon père ne répond pas, pourtant, du coin de l'œil, je le vois sourire.

— Papy, tu viens à la maison ?

— Oui, Crapaud ! Je vais même rester chez toi un petit moment.

— Ah bon ? Des heures ?

— Plus que ça !

— Des minutes ? demande mon fils d'une voix suraiguë.

— Des jours et des jours et des jours !

Charlie exulte, tape dans les mains en lâchant des cris de joie, mon père tambourine sur le tableau de bord en entonnant un air de fête. Arrêtée au feu rouge, j'assiste à la scène en prenant conscience de la situation. Je m'appelle Juliane, j'ai trente-neuf ans, et je suis l'heureuse maman de Charlie, sept ans, et de Jean, soixante-sept ans.

Chapitre 4

J'avais douze ans quand mon père s'est subitement pris de passion pour les Indiens. Ma mère venait de partir en emportant la moitié des meubles et de son cœur, et, peu à peu, des guerriers coiffés de plumes ont rempli tous ses vides. Il y en avait partout : des statuettes en plâtre sur les étagères, des posters, des cadres et des drapeaux sur les murs, des cassettes de musique tribale près du poste. La maison ressemblait davantage à un musée qu'à un foyer, mais cela ne me gênait pas, jusqu'au jour où deux copines du collège, venues passer l'après-midi chez nous, se sont moquées. Je n'ai jamais plus invité personne.

Un week-end où ma sœur et moi étions chez lui, il nous a annoncé qu'il allait se faire tatouer une tête de chef sioux sur le biceps. Habituées à ses loufoqueries, nous avons approuvé l'idée avec enthousiasme.

Le tatoueur officiait au sous-sol de sa boutique. Il y faisait sombre, et l'air était chargé de nicotine, pourtant, en pénétrant ce lieu réservé aux grands, j'avais le sentiment de vivre une expérience importante.

Je me rappelle le bruit de la machine, qui m'évoquait celle du dentiste, et l'attitude décontractée de mon père, qui enchaînait les blagues en guettant nos rires. Avec ma sœur, on était impressionnées, tant par le dessin qui prenait forme sous nos yeux, que par le courage paternel.

— Ça va, pas trop mal ? lui demandait régulièrement le tatoueur.

— Tu rigoles ? Tu me chatouilles, répondait invariablement le valeureux guerrier.

De retour dans le monde extérieur, il s'est tenu le biceps tout au long du chemin vers la voiture.

— Le pansement se décolle ? l'a interrogé ma sœur.

— Non, ça fait deux heures que je souffre le martyre, je crois que mon bras va finir par tomber.

Autant dire que le valeureux guerrier a passé des semaines à essuyer les moqueries de ses filles.

Le chef sioux a depuis été rejoint par toute une tribu, et la maison n'a cessé de se remplir. C'est commode pour les cadeaux d'anniversaire et de Noël : n'importe quel objet à l'effigie d'un Indien le ravit. Toute autre tentative ne peut que le décevoir.

Aussi, quand ce soir, au beau milieu du dîner, il m'annonce l'idée qu'il vient d'avoir, je ne devrais pas m'en étonner.

— Je vais monter un tipi dans le jardin.

— Quel jardin ? s'étrangle Gaëtan.

Charlie applaudit :

— Oh oui ! Un tipi !

— Ici, répond stoïquement mon père. J'ai mesuré, il y a la place entre la barrière et la terrasse. Bon, ça recouvrira un peu le potager, mais, en cette saison, vous ne vous en servez pas vraiment. J'en ai toujours rêvé, mais chez moi ça rentrait pas. J'en veux un assez grand, comme ça je pourrai dormir dedans avec Geronimo.

Gaëtan a cessé de mâcher, de bouger, peut-être même de vivre. Son regard figé est planté dans le mien. Le message est clair : je dois intervenir.

— Papa, tu ne peux pas installer une tente dans le jardin.

Il lève les sourcils :

— Et pourquoi pas ?

— Allez, maman ! s'exclame Charlie en venant se pendre à mon cou. S'il te plaît, dis oui !

Je me lève d'un bond, me dégageant de l'emprise de mon fils, et j'entreprends de débarrasser la table :

— Ça ne se fait pas, c'est tout.

Mon père ricane :

— On dirait ta mère, toujours à te soucier de ce qui se fait ou pas. On s'en fout, de ce que les autres pensent, tout ce qui compte, c'est de se faire plaisir. Je suis sûr que mon gendre est d'accord avec moi, hein, Gaëtan ? Ce serait sympa, un tipi dans le jardin, pas vrai ?

Je suspends mon geste, une assiette dans la main, pour guetter la réaction de mon mari. Il prend le temps de boire une gorgée, puis de s'essuyer la bouche, et finit par déclarer :

— Oh moi, je n'ai pas vraiment d'avis, mais si Juliane refuse, je préfère ne pas la contrarier.

Chapitre 5

C'est au dessert que je trouve enfin le courage de parler de mon père à ma mère. Comme chaque mardi, je déjeune avec elle dans la brasserie près de mon bureau.

— Tu crois que je n'étais pas au courant ? lâche-t-elle en piquant une tranche de mon carpaccio d'ananas.

Je hausse les épaules, un peu honteuse. Mes parents se détestent aussi fort qu'ils se sont aimés. Ma mère a beau être remariée depuis vingt ans, sa rancœur envers mon père est tenace, et il n'est pas en reste. Alors, je cloisonne. Je vis dans deux mondes hermétiquement séparés. Très tôt, j'ai appris à ne jamais mentionner l'un en présence de l'autre, même s'ils s'arrangent toujours pour orienter la conversation sur celui-dont-on-ne-prononce-pas-le-nom. Les anniversaires de Charlie sont fêtés en double, Noël est découpé. S'ils se croisaient, ils auraient sans doute la politesse de se saluer, mais pas sûr que ce soit en se serrant la main.

— Il va rester combien de temps ?

— Six mois, peut-être un an. Jusqu'à ce que l'assurance traite le dossier et que les travaux soient finis.

— Il ne peut pas aller ailleurs ? Tu ne vas jamais le supporter si longtemps.

— Maman…

Elle lève les yeux au ciel :

— C'est pour toi que je dis ça, moi je m'en fiche. Mais tu sais qu'il est insupportable, tu avais même pris tes distances ces derniers mois.

Je ne réponds pas. Chaque fois que je prends la défense de mon père, ma mère se sent attaquée. Chaque fois que je prends la défense de ma mère, mon père se sent rejeté.

— Enfin, reprend-elle, tu sais ce que tu fais. Tant que tu es heureuse, c'est tout ce qui compte pour moi.

— Je sais, maman.

Comment ne pas le savoir ? La planète entière est au courant que ma sœur et moi sommes la préoccupation principale de ma mère. Il y a quelques années, après son licenciement, elle a dû rédiger un CV et nous l'a envoyé pour relecture. Tout en bas du document, dans la section « Passions », elle avait écrit : « Jardinage, lecture, promenades dans la nature, mes filles ». Ma sœur pleure de rire dès qu'on en reparle. Ma mère n'a pas menti, son bien-être est dépendant du nôtre. Nos soucis l'empêchent de dormir, nos joies l'apaisent, nos projets la galvanisent, nos douleurs l'écorchent. Elle est en Bluetooth sur nos émotions.

— Juliane, tu ne devrais pas, murmure-t-elle alors que je porte à ma bouche le chocolat servi avec mon café.

Je le repose dans la coupelle et me rabats sur l'ananas, en essayant d'ignorer la boule douloureuse qui se forme dans ma gorge.

— Au fait, j'ai trouvé un cours de natation synchronisée pour adultes, fait-elle sans transition. J'y vais avec les copines du yoga. Tu veux venir ?

— Non merci, courir me suffit.

La synchro, j'ai déjà donné. En CM2, après avoir abandonné danse classique, danse moderne et tennis, je m'y suis essayée. Ma mère ne peut s'empêcher de me rappeler le stratagème imaginé par mon père lors de l'unique ballet auquel j'ai participé. J'avais les cheveux courts, et le chignon strict était requis, plaqué à la gélatine et orné de paillettes. Il a fabriqué un pompon en laine brune et l'a fixé à l'arrière de ma tête avec un filet et des épingles. Je regrettais tant mes cheveux longs que, chaque soir en rentrant de l'école, j'accrochais un foulard à une mèche, et j'imaginais que c'était une queue de cheval. Alors, en marchant le long du bassin avec mon chignon brillant sous les yeux de tous les spectateurs, je crânais sans modération. Je crânais nettement moins quand, dès le plongeon, mon chignon est parti voguer vers d'autres horizons. J'ai eu tellement honte que j'ai adopté la posture du sous-marin pendant toute la chorégraphie. Je n'ai pas rempilé pour une deuxième année.

On se sépare à l'angle de la rue, ma mère file à son cours de poterie, je retourne au bureau, elle réajuste le col de mon manteau, frotte une tache imaginaire sur mon épaule et m'embrasse :

— Travaille bien ! Fais un gros bisou à Charlie de la part de sa mamie. Mais pas à ton père, hein !

— OK, bonne journée, maman !

Elle s'éloigne tandis que j'attends que le petit bonhomme passe au vert. À peine a-t-elle disparu que je plonge la main dans mon sac, en retire un petit sachet blanc et dépose sur ma langue le chocolat qui accompagnait mon café.

Chapitre 6

Il est bientôt l'heure de dîner, et mon père n'est pas rentré. Depuis une semaine qu'il vit chez nous, il passe plus de temps dehors que dedans, saisissant la moindre occasion pour quitter la maison, même la sortie des poubelles. Je me demande comment il occupe ses journées, il est assez secret sur ses activités. Moi qui pensais qu'il s'ennuierait à la retraite.

Il l'a prise il y a quatre ans, au terme d'un parcours professionnel accidenté. Après vingt ans à la chaîne dans une usine de fabrication de chauffages qui a fait faillite, il a connu plusieurs années de chômage à la fin des années 90. C'était trois ans après le divorce, il avait gardé le logement social qu'il louait avec ma mère – la maison qu'il habitait encore avant l'incendie. Ma sœur et moi nous y rendions un week-end sur deux, et, chaque fois, les pièces étaient un peu plus vides. Sans salaire pour payer les factures, il vendait les meubles. Les huissiers se sont chargés du reste. Le vendredi soir, on allait récupérer des cagettes de nourriture à la

Banque alimentaire. La dame nous aimait bien, elle s'arrangeait toujours pour glisser des chocolats ou des bonbons. Un Noël, on a même eu une bûche. L'hiver, mon père trafiquait le compteur électrique pour pouvoir chauffer. Le dimanche soir, quand ma mère venait nous chercher dans sa voiture neuve, il nous regardait nous éloigner depuis le portail avec de grands gestes de la main. Il a toujours fait comme si ce n'était pas grave, et on le croyait. Il a fini par être embauché par la mairie comme gardien de la déchetterie. C'était un poste sur mesure : il passait ses journées à discuter avec les gens, à écouter de la musique dans sa cabine et à récupérer des objets abandonnés. Il rapportait des choses improbables, dont il n'avait aucune utilité, mais, lorsqu'on l'interrogeait, il répondait invariablement : « On sait jamais, ça peut servir. »

Il arrive au moment où on s'installe à table, les bras chargés de colis. Sans un mot, hormis une insulte à l'attention de la porte qui se referme sur lui, il se dirige vers sa chambre. Geronimo le suit, jusqu'à ce que l'odeur du poulet atteigne ses narines. Sa trajectoire change brusquement, et le chien vient s'asseoir à côté de la table, sa grande taille lui permettant d'avoir la truffe à hauteur des plats. Son regard fixe nos gestes, sa tête fait un va-et-vient permanent entre les assiettes et les bouches, il n'y a aucun doute : si un morceau tombe, il n'aura pas le temps d'atteindre le sol.

— On mange quoi ? s'enquiert mon père en nous rejoignant à son tour.

Sans attendre la réponse, il dépose une petite boîte dans l'assiette – pleine – de Charlie, une boîte moyenne devant Gaëtan, et une grosse dans mes mains.

— C'est quoi ? demande mon mari.

— Je dirais une boîte, réplique mon père.

— Mais elle contient quoi ? insiste-t-il.

Mon père lève les yeux au ciel et marmonne :

— Je regrette déjà.

Charlie ouvre son paquet en premier et s'extasie face à un tracteur en plastique jaune.

— Il fait du bruit quand tu appuies ici, précise mon père en désignant le toit de l'engin.

Mon fils est content, il ne remarque pas qu'il s'agit d'un jouet pour un enfant de deux ans. Je redoute l'ouverture des autres cadeaux. Gaëtan est plus pressé que moi. Il déballe le sien à la hâte et reste plusieurs secondes dubitatif devant ce qu'il découvre, avant d'afficher un sourire artificiel :

— Des cintres ?

— Attention, pas de vulgaires cintres ! Ce sont les « Cintres magiques », qui ne laissent aucune marque sur les vêtements. Je m'en suis pris aussi, comme ça j'ai eu le troisième lot offert. J'espère que ça vous plaît.

— Beaucoup, merci.

42

Je cherche la malice dans le regard de mon père, mais rien. Il semble sincèrement ravi.

C'est mon tour. Je m'attends au pire, et je ne suis pas déçue. Il me faut un moment pour identifier la chose. Mon père vient à ma rescousse : il s'agit d'un déboucheur de canalisations. Charlie s'extasie – je sais ce que je vais lui offrir à Noël –, Gaëtan se retient de rire, mon père guette ma réaction.

— Merci beaucoup, papa.

— C'était une super affaire, je ne pouvais pas la laisser passer. T'es contente, Microbe ?

— Oh oui alors ! Je me disais justement qu'il me manquait un déboucheur de chiottes dans ma vie.

Il fronce les sourcils :

— Tu en fais trop.

— Je rigole, papa. Ça me servira sans doute un jour, c'est parfait.

— Tant mieux. C'est pour vous remercier pour… enfin tu sais, pour tout ça, quoi.

Ils n'en ont pas l'air, mais ces remerciements représentent un effort immense. Mon père a toujours eu plus de facilité à user d'ironie que d'amabilité. Il est radin du compliment.

Il s'assoit, se sert une cuisse de poulet, coupe un morceau de chair et le lance à Geronimo, qui l'attrape au vol en inondant le sol de bave. Charlie applaudit, Gaëtan hyperventile, et mon père jubile.

Chapitre 7

On habite une petite rue dans un lotissement. C'est une maison des années 80, mitoyenne des deux côtés, qu'on a achetée plus pour devenir propriétaires que par véritable coup de cœur. C'était mon obsession, sans doute née quand mon père était menacé de se retrouver à la rue : il fallait que mon logement m'appartienne. Avant, nous vivions dans une maison en bois, avec de grandes pièces et des baies vitrées qui nous faisaient cohabiter avec le soleil, mais on était locataires. Maintenant, on vit dans une maison en papier, avec de petites pièces et des fenêtres qui nous font cohabiter avec les voisins, mais, eh, on est propriétaires.

À notre droite, Louise, mère de trois enfants, infirmière à l'hôpital, que nous ne faisons que croiser. À notre gauche, monsieur et madame Colin, jeunes retraités qui occupent leur temps trop libre à jardiner et à chercher quelle loi ou quelle règle d'urbanisme les voisins peuvent bien bafouer. Ils ont fait changer le portail des Lopez, car sa hauteur ne correspondait pas au PLU, ils ont obligé une famille du haut de la rue à couper un arbre trop proche de la clôture et envoient chaque mois un courrier à la gendarmerie avec les plaques d'immatriculation des voitures roulant trop vite. Pour l'instant, ils nous ont épargnés, peut-être est-ce dû à l'amabilité exagérée que je leur réserve, ou aux gâteaux que je ne manque pas de leur apporter chaque fois que j'en prépare. Ma diplomatie frise parfois le fayotage.

Il est dix-neuf heures quand monsieur Colin frappe à la porte, au pire moment de la journée. Gaëtan et mon père ne sont pas encore rentrés. Depuis quarante minutes, je tente de boucler avec Charlie ce qui était présenté comme un court exercice de conjugaison. Ma patience s'est fait la malle depuis un moment. Je n'ai jamais eu de pire ennemi que le verbe *être* en cet instant. Quelle idée de changer de forme à chaque personne. Je le lui ai dicté une dizaine de fois, je lui ai donné des moyens mnémotechniques, mais il n'y a rien à faire : mon fils se trompe au *je*, au *tu*, au *il*, au *nous*, au *vous*, au *ils*. En fait, je ne suis pas sûre qu'il soit dysphasique. Peut-être qu'il est croate. Je parviens à conserver un sourire de façade, je ne veux pas lui faire ressentir ma nervosité, mais, à l'intérieur, c'est massacre à la tronçonneuse. Mon rythme cardiaque se croit dans une rave party. Mon sang fuse dans mes veines, c'est le grand huit des globules rouges, j'ai énuméré tous les gros mots que comporte mon vocabulaire (et il en contient un paquet), et j'attends Gaëtan de pied ferme pour provoquer une dispute qui me défoulera. Quand j'ouvre la porte sur monsieur Colin, quelque chose doit se lire dans mon regard, car, pour la première fois depuis que je le connais, il sourit :

— Bonjour madame, je ne vous dérange pas ?

— Pas du tout, répond ma voix, tandis que mon regard hurle « Parle ou meurs sur l'instant ».

— Je voulais vous demander : le berlingot va rester là longtemps ?

— Le quoi ?

— Le berlingot.

Je l'observe attentivement, il fait peut-être un AVC. Ça expliquerait le sourire. Je m'apprête à lui demander de lever les bras, j'ai vu cette technique dans un spot publicitaire sur la prévention des accidents vasculaires cérébraux, quand il précise sa pensée :

— La Citroën grise qui est souvent stationnée devant chez moi. Le Berlingo.

— Ah, ça ! Oui, elle va rester un petit moment, c'est la voiture de mon père, il habite chez…

— Cela ne m'arrange pas, me coupe-t-il.

— Ah.

— Vous comprenez, si je reçois des invités, il se trouve qu'ils seront obligés de se garer plus loin, c'est fâcheux.

Je m'apprête à formuler une réponse consensuelle lorsque le sifflement de la voiture de mon père retentit. Le Berlingo entre dans notre champ de vision, s'arrête à hauteur du portail, puis recule pour se garer devant chez les Colin. Le moteur se coupe, et mon père déboule, Geronimo sur ses talons. Mon voisin est toujours planté devant ma porte, bras croisés sur la poitrine.

— Salut Microbe, bonjour monsieur !

— Monsieur Colin, je suis le voisin, fait-il en désignant sa maison d'un signe de tête.

— Monsieur Piccoli, je suis le père, réplique-t-il en me désignant d'un signe de tête.

— Je venais justement proposer à votre fille de vous inviter à stationner au bout de la rue, il y a un petit parking pour les visiteurs.

Mon père hausse un sourcil, puis les épaules :

— Non merci, c'est gentil.

Les cils de monsieur Colin battent frénétiquement :

— Je me permets d'insister. Le règlement du lotissement est clair : nous disposons de deux places de stationnement par logement, matérialisées par un marquage au sol. Il se trouve que ces deux places sont, concernant votre fille, déjà occupées.

Mon père hausse la tête pendant plusieurs secondes. Je récite mentalement une prière pour qu'il soit conciliant. Quand je vois le sourire se dessiner sur ses lèvres, je suis rassurée.

— Ma voiture vous gêne ? interroge-t-il.

— Il se trouve qu'elle est devant chez moi.

— J'ai compris ça, mais est-ce qu'elle vous gêne ? Vous n'avez qu'un seul véhicule, non ?

Les cils de monsieur Colin s'affolent. Il va bientôt s'envoler.

— Papa, tu pourrais peut-être te garer au bout de la rue, ce n'est pas loin.

Le voisin soupire d'aise. Mon père me regarde :

— C'est lui, le voisin chiant dont tu me parlais ?

Je manque de m'étouffer. Sans attendre ma réponse, mon père poursuit :

— Monsieur Cabillaud…

— Colin ! l'interrompt le voisin, dont le teint a viré au cramoisi.

— Oui, si vous voulez. Monsieur Colin, donc, il se trouve que les règlements de lotissements ne prévalent pas sur la législation, et il se trouve que cette dernière affirme que je peux me garer partout où ce n'est pas interdit. Alors il se trouve que je vais vous souhaiter une bonne soirée et vous proposer d'aller emmerder quelqu'un d'autre.

Il me contourne, entre dans la maison et claque la porte derrière lui, me laissant seule avec le voisin furax. Je balbutie quelques excuses, promets à monsieur Colin de trouver une solution, puis retourne avec soulagement reprendre la leçon du petit Croate.

Chapitre 8

Je cours. Deux fois par semaine, une fois Charlie endormi, j'enfile mes baskets et je pars dissoudre mes pensées dans la sueur. Je m'y suis mise il y a dix ans, pour perdre du poids. Mon médecin généraliste m'avait, comme toujours, dressé la liste des risques que je prenais à habiter dans un corps XL. « La graisse enveloppe les organes, les risques de maladies cardio-vasculaires sont énormes, sans parler des effets sur les articulations. Il faut maigrir ! » J'avais dit d'accord, comme si le décider suffisait. Il avait ajouté un conseil : « Réduisez les apports caloriques et augmentez la dépense énergétique. » J'ai arrêté de manger et commencé à courir. Rapidement, j'ai arrêté d'arrêter de manger, mais j'ai continué de courir.

Quand mes pieds se déroulent sur le bitume, je me fous de mon poids. Ce qui compte, c'est l'air qui emplit mes narines, mes poumons qui se déploient, la chaleur dans ma gorge, le ballet de mes bras, la douce brûlure dans mes cuisses, et surtout, surtout, ce qui compte, c'est le silence dans ma tête. Les questions s'interrompent, les angoisses s'endorment, demain se suspend et hier s'efface. C'est le seul moment où mon corps prend le contrôle de ma tête, et non l'inverse.

Au début, c'était un calvaire. Il suffisait de deux cents mètres pour que mes mollets commencent à se tétaniser, et pas beaucoup plus pour que mes poumons lancent des fusées de détresse. Je marchais plus souvent que je ne courais. Je rentrais au bout de quinze minutes, puis je passais deux jours à couiner à chaque mouvement avant de me promettre de ne jamais plus m'adonner à une telle séance de torture. Pourtant, j'y retournais toujours, sans me l'expliquer. Je me lançais des défis de durée, je grignotais quelques minutes chaque jour. Je marchais de moins en moins. J'explorais mes limites, et elles étaient élastiques. J'étais capable.

Par la force des choses, ma silhouette s'est affinée, même si je n'appartiens toujours pas à la catégorie des personnes minces. Je loge toujours dans une carapace capitonnée. J'essuie toujours les remarques de mon médecin, de ma mère, de mon miroir. Je n'aime pas mon apparence, mais, l'espace d'une course, je n'y pense pas. Mes mollets bouffent les kilomètres, mes genoux absorbent les impacts, mes fesses dégomment le chronomètre, mon cœur irrigue la machine, mon cerveau s'oxygène. Le temps d'une parenthèse, mon corps n'est plus mon ennemi.

Chapitre 9

Quand Charlie n'est pas dans son assiette, on ne peut pas l'ignorer. Depuis la sortie de l'école, il n'a pas décroisé les bras et n'a ouvert la bouche que quand c'était absolument nécessaire. Ses sourcils sont froncés, son sourire à l'envers, et ses larmes menacent de déborder. J'ai tenté de connaître la source de son mal-être, ce qui n'a eu pour seul effet que de lui faire croiser les bras plus haut sur la poitrine.

— Mange un peu, loulou, dit Gaëtan.

Charlie joue avec ses petits pois, mais n'en porte aucun à sa bouche. J'enlève doucement la fourchette de sa main et ose une nouvelle tentative :

— Chéri, il s'est passé quelque chose aujourd'hui ?

— Rien du tout.

— Charlie, tu peux nous parler. On voit bien que tu es contrarié.

— Ça veut dire quoi ? demande-t-il.

— Être contrarié, c'est quand quelque chose ne nous plaît pas, ou nous fait de la peine. Quelque chose t'a contrarié aujourd'hui ?

Il baisse la tête et hausse les épaules.

— Qui est le petit enfoiré qui t'a fait du mal ? intervient mon père, toujours délicat.

— Papa…

— Mais quoi ?

— On parle d'enfants, là.

— Et alors ? Les enfants sont juste des adultes pas finis. Il y a des enfoirés finis et des enfoirés pas finis, je vois pas où est le problème.

Charlie rit. Manifestement, ce mot-là, il l'a bien compris.

— C'est Lucas, finit-il par lâcher. Il m'a moqué.

L'orthophoniste affirme que cela ne sert à rien de le reprendre, mais je ne peux pas m'en empêcher :

— Chéri, on dit « il s'est moqué de moi ». Pourquoi il a fait ça ?

Je le vois lutter très fort pour retenir ses sanglots :

— Il dit que je suis bête. Je comprends pas pourquoi il est méchant avec moi, c'est mon meilleur copain.

Sa tristesse me met en pièces. Ce n'est pas la première fois que Charlie rentre blessé par les mots de cet ami qui ne lui veut pas que du bien. Il renifle :

— J'avais envie de jouer au foot avec eux, ils ont pas voulu, et Lucas il a dit que j'étais bête. Je lui ai dit que c'est lui le bête, alors il m'a jeté du sable dans les yeux. La maîtresse elle a dit que c'était pas grave, mais si. C'est pas gentil de dire des choses méchantes.

— Futur philosophe, marmonne mon père.

Je lui lance un regard noir et j'entreprends de réconforter mon fils. Non, chéri, tu n'es pas bête, et le plus important est que tu le saches. Ton ami a voulu te blesser, ça arrivera encore, avec lui et avec d'autres. Je tais mon envie de faire un tartare de Lucas. Gaëtan lui promet de jouer au foot dans le week-end. Mon père lève les yeux au ciel, tout cela est apparemment trop sirupeux pour lui. Il recule sa chaise et se met debout.

— Viens avec moi, mon grand.

Charlie obéit, et ils disparaissent dans sa chambre. Geronimo est resté près de nous, sait-on jamais, si une saucisse avait la bonne idée de se jeter dans sa gueule.

— T'as pas peur ? me demande Gaëtan.

— De ?

— Ce que ton père pourrait dire à notre fils.

Je secoue la tête :

— Je vois pas ce qu'il pourrait lui dire de terrible.

— T'as raison, rétorque mon mari. Ce n'est pas son genre.

Je me marre, il rit aussi. Pendant plusieurs minutes, alors que le silence dans la chambre de Charlie aurait dû nous inquiéter, on s'amuse à imaginer l'échange entre ces deux-là. Mais aucun de nous n'a assez d'imagination pour rivaliser avec la réalité. Un grand bruit nous propulse de notre chaise. Gaëtan ouvre la porte à la volée. Charlie et mon père sont debout face au mur. Un cadre est tombé au sol, sa vitre est en morceaux.

— Qu'est-ce qui se passe ici ? s'exclame mon mari.

— Je lui apprends la vie, c'est pas avec vos discours mielleux que vous allez le forger, ce petit.

— Papa, qu'est-ce que tu as fait ?

Il souffle ostensiblement :

— C'est l'Inquisition ici, un vrai interrogatoire ! J'ai juste appris à mon petit-fils deux-trois préceptes pour ne pas être une victime.

Le regard de Gaëtan me lance des messages pas du tout subliminaux, mais je veux laisser à mon père le bénéfice du doute. Il est original, certes, mais pas au point de faire ce que la scène laisse imaginer. C'est Charlie qui, se tournant vers son grand-père, fait voler le bénéfice et le doute :

— Papy, le précepte, c'est le nom du coup de pied ou du coup de tête ?

Chapitre 10

Je déteste les surprises. J'ai besoin d'anticiper, de prévoir, de visualiser. Les menus sont élaborés chaque dimanche soir pour la semaine. Les vacances sont planifiées d'une année sur l'autre. Quand j'arrive sur place, j'ai tellement potassé que je peux mettre au défi n'importe quel guide touristique. Je commande toujours les mêmes plats au restaurant. J'établis une liste des cadeaux que je souhaite recevoir pour Noël et mon anniversaire. Rien ne m'affole plus que quelqu'un qui me rend visite à l'improviste. Surtout quand le quelqu'un en question est un groupe de quatre personnes.

— Laisse, c'est pour moi, glisse mon père en me rejoignant dans l'entrée.

Nous sommes vendredi, il est près de vingt-deux heures, Charlie dort, et je viens de rentrer de mon footing. Dans la liste de mes envies, recevoir les amis de mon père arrive dernier, juste après l'épilation du maillot.

Les invités passent devant moi en me saluant et suivent mon père dans sa chambre. François, Thierry, Armand et Babeth. Ils ont du savoir-vivre, ils ne sont pas venus les mains vides. Armand me cale dans les bras un pack de bières et six éclairs au café sous emballage plastique, en me recommandant de les ranger au frais.

À peine se sont-ils enfermés qu'un morceau de Deep Purple retentit. « Highway Star », album *Made in Japan*. Départ en douceur, mais les murs ne vont pas tarder à trembler. Je ne frappe pas à la porte, je l'assomme. Quatre paires d'yeux écarquillés m'observent.

— Papa, ça ne va pas être possible.

— Qu'est-ce qui t'arrive, Microbe ?

— Il m'arrive que Charlie dort et qu'il est tard. Tu aurais dû me prévenir.

— Tu aurais dit non.

— Je n'en sais rien. C'est pas la question.

Il fait signe à François de couper le son. La voix puissante de Ian Gillan s'éteint.

— On va faire doucement. Détends-toi, Juliane.

— Je te roule un pétard ? me propose Thierry en glissant la main dans la poche intérieure de son blouson de cuir.

Les autres gloussent.

— Elle a toujours été un peu rigide, chuchote Babeth.

— Comme sa mère, approuve François.

— Eh oh ! Je vous entends !

Nouveaux gloussements. Une belle bande d'ados. Mon père pose sa main sur mon épaule :

— Juliane, fais-moi confiance.

— Papa…

— Je te promets que vous ne nous entendrez pas.

Je soupire. J'ai envie de les prendre un par un et de les jeter par la fenêtre, avec leurs bières et leurs ricanements, mais je me raisonne. Je ne peux affirmer à mon père qu'il est chez lui et agir comme s'il ne l'était pas.

— Je compte sur toi, dis-je en quittant la pièce. Je compte sur vous tous.

Je suis en train de fermer la porte quand sa voix me parvient.

— Compte sur nous, Microbe, on mettra des capotes !

Les sales gosses s'esclaffent.

Gaëtan m'attend dans le couloir. À son regard, je devine qu'il ne s'apprête pas à me déclarer sa flamme.

— Ils restent là ? demande-t-il.

— Ils ont promis de ne pas faire de bruit.

Il secoue la tête :

— Juliane, tu sais que j'aime bien ton père, mais…

— Stop.

Je ne veux pas entendre la suite. Il m'arrive de dire des horreurs sur mes parents. Il m'arrive même d'être tellement en colère que je les pense vraiment. Mais quand quelqu'un d'autre s'y avise, je sors les dents, les griffes, et toute la mauvaise foi dont je dispose. Je ne supporte pas que quelqu'un d'autre que moi souligne les failles de ma famille. Je suis la seule à avoir le droit d'aimer mon père avec des « mais ».

— Gaëtan, je sais que la situation est difficile pour toi, mais ça doit être compliqué pour lui aussi. Il n'a plus ses repères, on ne peut pas le priver de ses amis.

— Notre fils dort.

— Je ne sais pas quoi te dire…

— Y a rien à dire. Bonne nuit.

— Tu vas déjà te coucher ?

— Je suis crevé.

Il me tourne le dos et disparaît dans le couloir.

Je reste un moment figée, oscillant entre empathie et colère, entre frustration et tristesse. Mes pas me guident dans la cuisine, ma main ouvre le réfrigérateur, mon moral me fait engloutir deux éclairs au café.

Chapitre 11

Un soir de mon enfance, j'ai été traumatisée par une image. Mes parents, me croyant endormie, regardaient un film dont la musique angoissante m'a tirée du lit. Sur la pointe des pieds, dans ma longue chemise de nuit en flanelle, j'ai longé le couloir et passé une tête dans l'entrebâillement de la porte du salon. Sur l'écran du téléviseur, un énorme requin noir et blanc faisait valser une maison sur pilotis dans la mer et engloutissait les jambes d'une femme. Mon père m'expliqua le lendemain qu'il s'agissait d'une orque, et surtout de fausses jambes et de faux sang, mais le mal était fait : j'avais gagné la phobie de me baigner, même en piscine. On ne se méfie pas assez des orques d'eau chlorée.

Après cet épisode, je pensais être blindée en matière d'images traumatisantes. Mais on peut toujours compter sur mon père pour bousculer les idées reçues.

Il est déjà à la maison quand je rentre du bureau, comme l'atteste sa voiture, garée devant chez monsieur Colin. Charlie court vers la maison, heureux de retrouver son grand-père. Il s'arrête net à peine la porte franchie.

Dans les enceintes, Robert Plant s'époumone sur le riff de Jimmy Page. Je reconnais le puissant « Kashmir », de Led Zeppelin, que mon père nous faisait autrefois écouter sur sa vieille platine, en se félicitant d'avoir réussi à sauver sa collection de vinyles des griffes des huissiers. Une autre voix s'élève, plus aiguë, plus éraillée. Il me faut plusieurs secondes pour en identifier la provenance. Assis dans sa panière, la queue au garde-à-vous, truffe tendue vers le plafond, Geronimo joue les choristes. Charlie est hilare. Mais le clou du spectacle se trouve au centre du salon, où une espèce de trampoline agrémenté d'un guidon s'est substitué à la table, reléguée contre le mur. Mon père, vêtu d'un short vert, la tête enserrée dans un bandana, les mains cramponnées aux poignées, bondit, rebondit, tentant difficilement de suivre le rythme imposé par l'engin. Ça part dans tous les sens. Ses maigres guiboles semblent vidées de tout squelette, longues ficelles guidées par deux pieds qui ont visiblement décidé d'en finir. Ça s'emmêle, ça se tord et se balance.

En nous apercevant, le kangourou électrocuté tente de stopper son corps, et accessoirement la fuite de sa dignité. Mais ses jambes ne lui obéissent plus, le trampoline a pris le contrôle. Après plusieurs essais infructueux, les pieds retrouvent enfin le plancher des vaches.

— C'est trop bien ton truc, papy ! s'extasie Charlie en se précipitant vers l'appareil.

Mon père lui ébouriffe les cheveux et se tourne vers moi :

— Tu ne travailles pas ?

— Il est dix-huit heures.

Il fronce les sourcils :

— Déjà ? T'es sûre ?

— Papa, c'est quoi encore, ce machin ?

Je connais déjà la réponse. Depuis trois semaines qu'il vit ici, mon père a transformé sa chambre en succursale du téléachat. Tout y passe, il suffit d'une offre spéciale. Qu'importe l'utilité, pourvu qu'on ait la promo. Une chose est sûre : il peut faire face à n'importe quelle situation. Un impact sur la voiture ? Pas de problème, le kit carrosserie est là. Une tache sur la moquette ? Aucun souci, le Rénov'sol vient à la rescousse ! Des abdos qui fondent ? Une séance de Ventrélec et le tour est joué (j'ai cru qu'il faisait une attaque, le jour où il a essayé cette ceinture d'électrostimulation en plein repas). Une petite envie de risotto ? Le robot Miam est la solution. La semaine dernière, il a même fait l'acquisition d'un parfum pour chats. Il se fait livrer chez lui, où il se rend chaque matin pour attendre le facteur.

— C'est le Joli Jumper, répond-il. Une aubaine, ça faisait un moment que je lorgnais dessus, mais il n'était jamais en promo. Là, tu te rends compte, il y avait 30 % de remise si on prenait la ceinture massante.

— Ça a l'air dangereux, t'as failli te faire assommer par ton gros orteil.

Il sourit :

— T'inquiète, Microbe, le vieux a la tête dure.

Charlie pousse un cri à chaque saut, en rythme avec la musique et Geronimo. Ma tête va exploser.

— Tu vas le ranger où ? Il ne peut pas rester ici, ça prend trop de place.

— Je pensais le mettre dans le garage.

— Pas possible. Il est déjà plein, on ne pourra plus y circuler.

Il hoche la tête :

— Je suis allé voir, il rentre debout contre le mur du fond.

— Papa, je te dis que ce n'est pas possible.

Il plisse le regard et me dévisage sans un mot.

J'essaie d'ordonner mes pensées, mais le bruit joue contre moi. Je sais que le trampoline rentre, debout dans le garage. Seulement, pour atteindre ses outils, Gaëtan devra le déplacer. Il va être contrarié et me le faire savoir. Et après ? Le prochain objet, où le rangera-t-on ? Ce n'est pas ce qui était prévu. Je n'aime pas que ce ne soit pas comme c'était prévu.

— Papa, c'est comme ça. Je sais que c'est difficile, mais il faut que tu t'adaptes à notre mode de vie.

Son visage se barricade :

— J'essaie de proposer des solutions, lâche-t-il, tu les refuses toutes.

— Je ne te demande pas de trouver des solutions, mais de ne pas créer de problèmes.

Geronimo a dû sentir la tension, il l'a mise en sourdine.

Mon père coupe la musique, puis se poste face à moi :

— C'est la chambre, et pas plus, c'est ça ? Je ne dois pas déborder des limites ?

Je ne réponds pas. Il disparaît dans sa chambre, puis en ressort quelques minutes plus tard, son sac de sport sur l'épaule.

— Je viendrai chercher mes affaires plus tard, dit-il en me regardant à peine.

— Papa, arrête…

— Merci de m'avoir accueilli, mais ce n'était pas une bonne idée.

— Papa !

Il n'attend pas que j'argumente. Geronimo sur ses talons, il quitte la maison sans un mot pour Charlie.

Je passe les deux heures suivantes à culpabiliser et à lui laisser des messages. Même Gaëtan, quand je lui raconte notre échange, me trouve excessive. Je me vexe, tout en me gardant bien de le lui montrer : je n'ai pas pour projet immédiat de faire fuir toutes les personnes qui m'entourent.

Nous sommes au dessert lorsqu'on frappe à la porte. J'ouvre, redoutant le pire. Grand sourire aux lèvres, chien aux pieds, mon père entre sans attendre, laisse tomber son sac sur le tapis et se dirige vers la cuisine :

— Désolé, j'ai oublié mes clés. On mange quoi ?

Chapitre 12

Monsieur Colin ne gare plus sa voiture devant chez lui. Il a manifestement trouvé une place plus à son goût : pile devant notre portail, à cheval sur le trottoir. Son échange avec mon père l'a rendu furieux au point de le pousser à commettre une infraction. Espérons que cela n'aille pas trop loin, il n'est pas exclu que la vocation de Jack l'Éventreur soit le fruit d'un conflit de voisinage.

Je contourne sa voiture en lui souhaitant intérieurement de s'étouffer avec son Code civil quand je l'aperçois à sa fenêtre, tourné vers moi. À ses côtés, sa femme figée. Miss Fayote prend le contrôle de mon corps, et je me vois leur adresser un petit salut amical de la main. Aucune réaction. Encadrés par leurs rideaux brodés, ils semblent tout droit sortis d'un film d'horreur. Nouveau petit signe de la main, et je me précipite chez moi, en ignorant mon fils qui me demande pourquoi je ferme tous les verrous.

Mon père est parti pour le week-end. Apparemment, c'est une tradition : plusieurs fois par an, Babeth, François, Armand, Thierry et lui renouent avec le sauvage qui sommeille en eux en partant bivouaquer en forêt. Le fait qu'on soit au mois de décembre et que le thermomètre grelotte n'a pas suffi à les freiner. Certains arrêtent de fumer, moi j'ai arrêté de comprendre mon père.

Se retrouver tous les trois a un goût de jadis. Mon père vit avec nous depuis un mois qui ressemble à toujours. Les habitudes s'installent vite, même sans invitation.

Charlie part s'amuser dans le salon. Hier, Gaëtan et lui ont construit un vaisseau Star Wars en Lego. Mon mari trimballe depuis son enfance trois caisses de petites briques en plastique dont il a toujours refusé de se séparer, même quand on habitait un studio minuscule dans lequel elles semblaient prendre toute la place. « Un jour, j'y jouerai avec mes enfants » était son argument imparable. Quand Charlie a eu l'âge de s'y intéresser, les tentatives de Gaëtan pour éveiller sa curiosité sont restées vaines. S'il y avait eu un SAV des enfants, il aurait sans doute demandé un remboursement. Et puis, un jour, la petite main de notre fils a saisi une briquette rouge et l'a fixée sur une briquette verte. « Mon mariage et la naissance de mon fils », répond invariablement Gaëtan quand on lui demande de citer le plus beau jour de sa vie. Mais on sait tous les deux que la vérité est ailleurs.

Le vendredi soir est dévolu au ménage de la salle de bains. Chaque jour sa pièce. C'était l'organisation idéale pour satisfaire mon côté maniaque sans grignoter trop de temps. Mais l'arrivée de mon père a redistribué les cartes du jeu du bordel. Le verbe *ranger* et toute sa famille sont absents de son vocabulaire, or le mien a pour chouchou le mot *ordre*. Même mon fils, qui a vécu soixante ans de moins que son grand-père, le sait : sous ce toit, rien ne doit traîner, sous peine de voir la maîtresse des lieux se transformer en aspirateur cracheur de feu. Mais le grand chauve s'en tamponne. Le feu, il l'arrose d'alcool à brûler. Il dissémine partout des petits cailloux de sa présence et joue au Petit Poucet avec ma patience. Il abandonne sa tasse de café froid sur la table basse – de préférence humide, de manière à laisser son empreinte auréolée –, jette ses vêtements sales au pied du lavabo, orne le buffet d'emballages vides, répand livres, CD, Post-it aux quatre coins de la maison. Quand j'ose une remarque, il affirme qu'il allait le faire, que je suis juste plus rapide que lui.

— Maman, c'est quoi ça ?

Charlie brandit un objet que j'identifie immédiatement. Merde. Mon père roule ses cigarettes. Le tabac qu'il achète est conditionné dans des boîtes noires agrémentées de messages alarmants sur ses dangers et de photos effrayantes de poumons cramés, tumeurs, cadavres de fumeurs et autres joyeusetés. Mon fils a eu la main heureuse, il a tiré la trachéotomie en gros plan. Je fais mentalement défiler toutes les réponses possibles à sa question, et j'articule la plus satisfaisante :

— C'est un trou noir. Dans l'espace, tu sais. Tu me donnes cette boîte, chéri ?

Le petit malin plisse les yeux :

— C'est bizarre, l'espace, c'est pas de cette couleur !

Le bruit de la porte d'entrée me sauve, Gaëtan vient de rentrer et le détective en herbe court l'accueillir. J'attrape la boîte au vol et je pars la cacher dans la chambre de mon père en le maudissant.

Le désordre qui y règne me donne des palpitations. Il y en a partout : une montagne d'habits, une tour de colis non ouverts, des papiers, des photos, des trucs, des machins, des bidules. Je pose la boîte de tabac sur une pile de revues et m'apprête à quitter le capharnaüm quand mon regard est attiré par des objets qui m'expédient instantanément dans le passé.

Je devais avoir treize ans, ma sœur huit. On passait le week-end chez lui, c'était la fête des Pères. On avait voulu lui acheter un cadeau, un briquet tempête qu'on avait repéré en vitrine du bureau de tabac. Notre mère avait refusé, affirmant qu'on était en retard. Alors on avait composé avec les moyens du bord, et le bord avait les placards vides. Heureusement, notre imagination ne l'était pas.

Le briquet tempête aurait moins allumé son sourire. Avec trois fois rien et un marqueur noir, on lui avait offert notre amour en lettres capitales. Je dépose ma colère et laisse la tendresse m'enlacer. Quelques gouttes salées dégringolent sur mes mains qui triturent un gobelet en plastique, une petite cuillère et deux assiettes en carton sur lesquels des petites filles ont écrit « On t'aime papa » ; « T'es beau avec ta moustache » ; « T'es le meilleur des papas » ; « Tu nous manques papa ».

Chapitre 13

Je viens de me glisser sous la douche, l'eau brûlante détend ma nuque crispée. Gaëtan a accompagné Charlie à son cours de guitare, mon père est en vadrouille. Le temps n'appartient à personne, mais surtout pas à moi. Depuis des années, je cours derrière lui sans parvenir à le saisir. Le travail, la cuisine, le ménage, les courses, les papiers, l'enfant. Les minutes pour moi ont la saveur des choses rares. Quand j'étais petite, je n'avais que deux désirs : devenir grande et ne jamais avoir à me doucher. Aujourd'hui, je donnerais beaucoup pour faire une pause dans la vie d'adulte, et une longue douche chaude est devenue un luxe ultime.

À la première sonnerie, je ne réponds pas. Si c'est urgent, ils rappelleront.

À la deuxième sonnerie, je songe qu'il est peut-être arrivé quelque chose, mais l'idée s'évapore avec l'eau.

À la troisième sonnerie, je soupire, coupe l'eau, j'enjambe la baignoire à la hâte, je m'ébroue et me rue vers mon téléphone, tranquillement installé dans le salon. L'idée qu'un séchage de pieds aurait peut-être été opportun a le temps de me traverser l'esprit, juste avant d'être illustrée. J'ai presque atteint mon sac quand le carrelage se transforme en patinoire. Mon pied droit amorce une glissade, pendant que le gauche le regarde sans broncher. Je tente de me rattraper au vide, mes bras y croient encore, mais rien à faire, je suis forcée d'assister, impuissante, au divorce de mes jambes. Chacune part vivre de son côté, se partageant la garde de mon périnée. Je chute mollement, au ralenti, j'ai même le temps d'imaginer mon épitaphe : « Elle n'a jamais rien laissé tomber, sauf elle. » Note technique : 2 ; note artistique : 10.

Mon téléphone se remet à sonner. Mon sac est à portée de main, je l'attrape par l'anse, le tire vers moi, saisis le portable et décroche. C'est mon père, comme j'aurais pu m'en douter.

— Salut, Microbe, je te dérange ?

Je suis assise, cul nu, sur le carrelage glacé, après avoir réalisé une figure qui ferait pâlir Philippe Candeloro, mais je réponds :

— Pas du tout. Tu as besoin de quelque chose ?

Il a besoin de quelque chose. À un feu rouge, sa voiture a calé et n'a pas voulu redémarrer.

Des jeunes l'ont aidé à la pousser sur le trottoir, il a essayé d'appeler Gaëtan, qui n'a pas répondu. Aucun de ses amis n'est disponible pour lui porter secours. L'endroit où il se trouve n'est pas desservi par les transports en commun. En un mot comme en cent, ma douche est terminée.

Il ne m'entend pas arriver. Assis au volant, le siège reculé au maximum, tête en arrière et yeux fermés, il laisse Janis Joplin lui conter son blues. Il sursaute au bruit de la portière, et il se passe plusieurs secondes avant qu'il ne se reconnecte au présent.

J'ai à peu près autant de compétences en mécanique qu'en astronomie, mais j'insiste pour m'installer à sa place et tenter de refaire battre le moteur du Berlingo. Ce faisant, je manque de me faire assommer par le crâne qui se balance au rétroviseur. Je fais taire Janis, tourne la clé dans le contact et tends l'oreille aux indices. Un coup d'œil au tableau de bord assoit mon diagnostic :

— Papa, tu as fait le plein récemment ?

Sur le siège passager, en train de rouler une cigarette, il réfléchit un moment, avant de répondre :

— Oui oui, y a pas longtemps. Tu crois que le vieux perd la boule ?

Trente minutes plus tard, alors que je vide dans le réservoir le jerricane que je viens de remplir à la station-service, un constat s'impose à moi. La liste des choses qui grignotent le temps s'est allongée. Le travail, la cuisine, le ménage, les courses, les papiers, l'enfant, le père.

Chapitre 14

— Tu le supportes toujours ?

Ma mère ouvre les hostilités sans attendre d'être installée. Notre rendez-vous hebdomadaire s'est transformé en un stand de tir dont mon père est la cible. Elle ne désarme pas, rafale sur rafale, à croire qu'elle a préparé les munitions. Je tente de faire prendre un itinéraire bis à la conversation, mais on retombe systématiquement sur l'autoroute de la rancœur.

— Ta sœur m'a dit qu'il fumait à l'intérieur, tu sais que c'est très mauvais pour les poumons des petits. Quelle inconscience !

Je rectifie, ce n'est pas tout à fait exact, il en grille parfois une dans sa chambre, fenêtre ouverte, mais, la plupart du temps, il respecte notre demande et se rend dans le jardin. Je résiste à l'envie de parer avec le bouclier de souvenirs compromettants. Dans le Cluedo de notre enfance, nos poumons ont été assassinés par le

Colonel Maman, dans la voiture, avec un paquet de Marlboro.

Elle ôte son manteau, le pose sur le dossier de la chaise, accroche son sac et s'assoit.

— Maman, tu n'enlèves pas tes lunettes de soleil ?

Elle sourit et les fait glisser sur le bout de son nez, dévoilant deux énormes cocards. Elle m'explique que, après avoir rectifié son nez, ses pommettes et son front, il fallait assortir les paupières.

La beauté de ma mère ne laisse pas place à la subjectivité. Elle est dotée de ce genre de visage qui met tout le monde d'accord. Au saut du lit, elle est belle. Déguisée, elle est belle. Grimaçante, elle est belle. Sur les photos ratées, un œil fermé et la bouche entrouverte, elle est belle. Depuis son plus jeune âge, c'est la première chose qu'on lui dit : elle est belle. Une seule personne ne la trouve pas belle : elle.

Combien de fois l'ai-je vue presser ses bourrelets imaginaires, refuser un dessert, appliquer sur sa peau crèmes et lotions, gesticuler face à la télé, accrocher au mur de la cuisine les menus minceur découpés dans un magazine, lancer des regards noirs à son miroir. Elle a porté sa première ride bien avant de la mettre au monde. D'autres ont éclos. Un jour, à un mariage, elle a surpris une phrase à son sujet, quelques mots qui l'ont anéantie. « Qu'est-ce qu'elle était belle. » Sa beauté appartenait au passé. Elle s'est rendue chez un chirurgien, conseillé par des amis. Au téléphone, il lui avait demandé d'apporter des photos de ses idéaux de beauté, afin de se faire une idée. Elle en a pris trois, les a étalées sur son bureau. Trois photos d'elle plus jeune, à l'époque où elle ne se trouvait pas belle. J'ai trouvé ça tragique, de ne s'aimer que dans le passé.

— C'est encore gonflé, précise-t-elle. Mais Colette l'a fait, le résultat est incroyable. Ce docteur est fabuleux, tu veux que je te prenne rendez-vous pour tes cernes ?

Je n'ai pas hérité de la beauté de ma mère. J'ai ses yeux gris et sa bouche ronde, mais ils s'accordent moyennement avec le nez de mon père, qui a eu la riche idée de se planter au milieu de mon visage. Quant aux cernes, je suis née avec, comme fatiguée d'avance. Je n'en souffre pas, c'est l'avantage des personnes au physique banal : par la force des choses, mon apparence m'importe peu.

— Le seul problème, poursuit-elle, c'est que je n'ai rien dit à José.

— Maman, tu vis avec lui, comment tu comptes lui cacher ça ?

Elle balaie la question d'un geste de la main :

— Je vais lui faire croire que je suis tombée. Ça te paraît crédible ?

76

— Tout à fait. Si tu lui dis que tu es tombée sur deux boules de pétanque, pile une dans chaque œil, il devrait marcher.

Elle approuve de la tête, semblant réellement envisager cette idée, puis enchaîne sur une anecdote de vestiaire de son cours de natation synchronisée.

Le déjeuner se déroule comme à l'accoutumée, mêmes plats, mêmes conversations, mais la fin est inédite. On vient de commander le dessert quand son téléphone, posé à côté de son assiette, vibre. Elle ne prend pas la peine de regarder l'écran, elle se lève, refait en sens inverse les gestes de son arrivée, me souhaite une bonne après-midi, replace une mèche sur mon front et disparaît avant que j'aie le temps de réagir. Le serveur dépose deux carpaccios d'ananas sur la table, je m'assure que ma mère est bien partie et, pour la première fois, je succombe à mon envie de demander le tiramisu.

Chapitre 15

J'aime les lundis, les premiers du mois, le Jour de l'an, les débuts de saison. On efface les ardoises et on s'accroche aux résolutions, ce sont des nouveaux départs sans renoncement. Le réveillon du Nouvel An est ma fête favorite. Longtemps, cette place a été occupée par Noël, jusqu'à celui de mes vingt ans. On se réunissait toujours chez ma grand-mère adorée, autour de la dinde aux marrons et des gourmandises qu'elle avait passé la journée à préparer. J'avais prévu de la retrouver plus tôt pour l'aider avec les toasts, leur confection faisait souffrir ses doigts abîmés par l'arthrose, mais l'emballage de son cadeau m'a mise en retard. Je ne saurai jamais si je l'aurais trouvée vivante, en arrivant à l'heure. Son cadeau mal emballé est resté au pied du sapin, avec mon âme d'enfant.

Nous sommes le 31 décembre. Comme chaque année, on reçoit nos amis les plus proches. Isabelle et moi usions nos sandales sur la marelle de la cour d'école. On s'est perdues de vue au collège, avant de se retrouver dans la même classe en terminale. C'est là qu'elle a rencontré Jamel. Après le bac, ils ont enfilé un sac à dos et sont partis prolonger les cours de géographie sur le terrain. Ils sont revenus quatre ans et deux enfants plus tard. Maxime et Gaëtan se sont rencontrés sur un tatami quand ils avaient sept ans. Maxime est venu seul, Juliette et lui viennent de se séparer. Laure et Antoine étaient les voisins de notre premier nid à deux. Nos studios étaient mitoyens, pour ne pas dire fondus l'un dans l'autre. Les cloisons étaient purement décoratives, ça crée des liens. Les ronflements d'Antoine nous ont presque manqué quand on a déménagé.

J'ai passé des semaines à organiser la soirée. J'ai écumé les sites de vente d'objets d'occasion pour constituer la décoration parfaite. Plusieurs paires de skis sont posées contre le mur, un tapis de neige artificielle recouvre le sol, de fausses peaux de bêtes du plus mauvais goût gisent un peu partout, j'ai déniché de la vaisselle des années 80, un jeu de Scrabble est ouvert sur le buffet, un service à fondue trône au centre de la table, près d'une bouteille remplie d'un liquide douteux qui attend son heure. Le salon a revêtu ses habits d'hiver, et nous aussi. À chaque réveillon son déguisement. Cette année, on rend hommage aux *Bronzés font du ski*. Ayant hérité du personnage joué par Josiane Balasko, je porte une chemise de nuit rose et des chaussures de ski. Gaëtan, engoncé dans une épaisse combinaison jaune, est un Jean-Claude Dusse plus vrai que nature. Mon père n'a pas souhaité se joindre à nous. Le rebelle en lui exècre les fêtes imposées. La pire étant la Saint-Valentin. S'il trouve celui qui a inventé cette fête, il lui fera un cadeau qu'il n'oubliera pas de sitôt.

Il est bientôt minuit. Les enfants jouent dans la chambre de Charlie, on fait traîner le repas. Gaëtan n'a pas pu s'empêcher de cacher de la ficelle dans le fromage fondu, comme dans le film. On a ri, jusqu'à ce qu'on s'aperçoive qu'il avait mis la bobine entière. On a mangé beaucoup de pain. Jamel a, malgré nos supplications, lancé une play-list composée de ses chansons préférées, si tant est que l'on puisse qualifier ces bruits de chansons. Ce qui me paraît plus probable, c'est qu'un groupe de potes se soit dit : « OK les gars, on va prendre les instruments qui nous tombent sous la main, batterie, guitare électrique, marteau-piqueur, chèvre, on va taper de toutes nos forces en gueulant comme la gamine dans *L'Exorciste*, et on va en faire un disque. » Maxime a beaucoup bu. L'année qui s'achève est la dernière qu'il aura passée avec Juliette.

— En tout cas, chapeau pour les costumes ! lâche-t-il en se servant un énième verre de vin.

Mention spéciale à Laure, t'as poussé le détail jusqu'à te faire la même coupe que Jugnot !

— Je suis censée incarner Marie-Anne Chazel, répond l'intéressée.

Maxime se justifie, s'excuse, mais ne fait qu'aggraver son cas. Laure joue l'offusquée. Tout le monde rigole. J'observe ces personnes qui n'ont pas grand-chose en commun, mais qui se réunissent en harmonie depuis des années, pour des soirées, des week-ends, des vacances. Parfois, on a tous les bons ingrédients et le résultat est immangeable, et, parfois, on prend sans conviction ce qu'on a sous la main, et c'est un régal. Je m'apprête à déclarer à mes amis qu'ils sont une merveilleuse salade composée quand une odeur reconnaissable me sauve du naufrage. Quelque chose est en train de brûler.

Je me rue vers la chambre de mon père et tambourine à la porte en l'ouvrant dans le même geste. En short, assis sur son lit, la fenêtre ouverte, il admire les flammes qui dansent dans une cocotte-minute. Il me sourit tranquillement, comme si tout cela était absolument normal.

— Ça va, Microbe ? Vous passez une bonne soirée ?

— Papa, qu'est-ce que tu fabriques encore ?

Ses sourcils se soulèvent :

— Je fais disparaître les traces.

— Les traces de quoi ?

— Tu sais bien. Je détruis tous les courriers à mon nom. On sait jamais.

Je baigne dans ce genre de blagues depuis mon enfance. J'entre dans son jeu :

— Ah oui, à cause du KGB ! T'as raison, faudrait pas qu'ils te trouvent.

Il me fait un clin d'œil, et, sans que je parvienne à l'expliquer, je suis soulagée. Mais c'est de courte durée.

— Tu devrais faire pareil, Microbe. Faut pas laisser de traces.

Il est sérieux. Dans mon dos, les amis entament le décompte qui tirera le rideau sur l'année. J'observe mon père, les flammes éclairent son visage, son regard est loin. Ce n'est pas la première fois que je le remarque, mais, cette fois, ça me frappe. Je referme la porte doucement, un étrange pressentiment dans la gorge. J'arrive juste à temps pour joindre mon cri aux autres. Bonne année !

Chapitre 16

Depuis la naissance de Charlie, qui n'a pas dormi plus de quatre heures d'affilée jusqu'à l'âge de trois ans, le sommeil est devenu une denrée précieuse, et je mets tout en œuvre pour le préserver. Mon sens de la mesure disparaît totalement quand il s'agit de mon repos.

Qui me réveille en pleine nuit peut le payer de sa vie. Qui me prive de sommeil peut voir de très près mes orteils.

Alors, quand, au beau milieu de la nuit, je suis tirée des bras de Morphée par des sifflements dans la cuisine, je m'extrais du lit pour aller voir de quoi il retourne, mais j'oublie de prendre mon amabilité avec moi.

Les volets sont ouverts, la lumière est allumée, il me faut plusieurs secondes pour faire la mise au point. Mon père, frais et dispos dans sa robe de chambre marron, fouille dans un placard en imitant le rossignol.

— Papa, qu'est-ce que tu fais ?

C'est sans doute la phrase que j'ai le plus prononcée depuis son arrivée. Il se retourne, l'air soulagé :

— Ah, tu tombes bien ! T'as pas de grille-pain ?

— Pourquoi tu veux un grille-pain ? Il n'est même pas cinq heures du matin !

Il jette un œil circonspect à sa montre :

— Qu'est-ce que tu racontes ? Il est 9 h 20, j'en connais une qui a loupé le réveil et qui va être en retard au boulot. Je peux fumer à la fenêtre ?

— Mais papa, tu vois bien qu'il fait nuit !

J'ai presque crié. Son regard se charge de malice :

— Microbe, à ton âge tu devrais savoir qu'en hiver il fait nuit plus tard le matin.

Je l'attrape par le bras, avec un peu plus de véhémence que je ne l'aurais voulu, et l'entraîne dans le salon.

— Là ! Tu vois bien qu'il est 4 h 45 !

Mon doigt, pointé vers l'heure affichée sur l'écran de la box, tremble de colère.

La lumière du plafonnier rebondit sur son crâne et creuse ses traits. L'air hagard, il observe sa montre, puis l'écran, puis sa montre.

— Écoute, je comprends pas, la pile doit être morte…

Plus délicatement, je saisis son poignet et j'observe le cadran. C'est une montre ronde, au

84

bracelet en cuir brodé de motifs indiens, que ma sœur et moi lui avions offerte pour ses cinquante ans. Il ne me faut pas longtemps pour comprendre. Il a confondu la grande et la petite aiguille. Je le lui explique, il contemple son poignet pendant plusieurs secondes, puis se tape le front en riant :

— Quel con ! Je le sais, pourtant, qu'il faut que je mette mes lunettes.

Je souris pour ne pas l'inquiéter. Mais le doute vient de se fracasser contre la réalité.

— Allez, retourne te coucher, Microbe. Je vais éteindre la cuisine.

— D'accord. Bonne nuit, papa.

— Bonne nuit, Juliane. Attends ! Tu m'as pas dit où tu rangeais le grille-pain.

Chapitre 17

— Papa déraille.

— Papa a toujours déraillé.

Ma sœur vit à Chicago depuis plus de dix ans. On s'appelle aussi souvent que le permettent nos quotidiens chargés et le décalage horaire, et on se voit chaque fois que son travail dans l'import de vins l'envoie en France. Nous y sommes allés trois fois, dont deux avec Charlie, qui, comme nous, ne connaît son cousin Nolan que sur écran plasma.

— Je pense qu'il est malade.

— C'est maintenant que tu t'en rends compte ?

Elle ricane. Il paraît que les enfants se construisent dans les traces de leurs parents, ou à l'extrême opposé. Adèle est perchée sur la même branche que mon père, tandis que je suis restée bien ancrée dans le sol. Pourtant, j'ai essayé de les rejoindre, mais chaque tentative s'est soldée par une chute. J'admire les personnes qui arrivent à lâcher prise, à se moquer de ce qu'en penseront les autres, à ne pas chercher à tout prévoir, anticiper, cadrer, régler, organiser.

J'aimerais dire « je m'en fous » en le pensant vraiment. Mais je suis ainsi faite. Petite, en rentrant de l'école, je marchais sur le rebord du trottoir en me figurant que, si mon pied tombait à côté, j'allais être dévorée par les crocodiles. J'ai le même sentiment quand quelque chose m'échappe, quand l'imprévu s'invite, et les crocodiles imaginaires des adultes sont plus féroces que ceux des enfants.

J'énumère les éléments qui me laissent penser que le comportement de notre père n'est pas habituel :

— Il ne sait plus lire l'heure.

— Il devait être mal réveillé, réplique ma sœur.

— Il dilapide sa retraite au téléachat.

— Il s'ennuie.

— Il brûle les courriers à son nom.

— Il a toujours été un peu parano.

— Il oublie les clés sur la porte.

— Il est tête en l'air, rien de nouveau.

— Il a oublié de mettre de l'essence dans la voiture.

— Il a l'esprit ailleurs, l'incendie de sa maison a dû le remuer.

— Justement, il a mis le feu à sa maison, Adèle !

— C'était un accident. Ça a failli m'arriver plus d'une fois, pas toi ?

— Non.

Elle glousse, ça me blesse. Je reprends :

— Il ne se souvient jamais de son code PIN.

— Il n'est plus tout jeune.

— Il apprend à Charlie à mettre des coups de boule.

Elle s'esclaffe, et, en revoyant la scène, je ne peux m'empêcher de l'imiter.

— Adèle, je me fais vraiment du souci.

— Je comprends, mais tout ce que tu me dis me semble normal. Tu ne l'avais pas vu depuis un moment, c'est peut-être pour ça.

— Peut-être. Je sais pas, j'ai un mauvais pressentiment.

— Ce n'est pas une prédiction.

Elle prononce cette phrase avec douceur, pour me rappeler ce que je sais déjà. Je confonds angoisse et prémonition. Quand mon anxiété parle, je me persuade que c'est mon sixième sens. J'ai beau avoir un taux de réussite proche du néant, je persiste à croire en mes pouvoirs de divination. Chaque fois, on remet les compteurs à zéro, et la certitude est vive comme si c'était la première fois.

Je m'apprête à changer de sujet, contaminée par la sérénité de ma petite sœur, quand un nouvel exemple me percute :

— Il m'a appelée plusieurs fois Juliane.

Il y a un long silence, de ceux qui précèdent les moments que l'on n'oublie pas. Puis la voix de ma sœur, délestée de sa légèreté :

— Emmène-le chez le docteur.

Chapitre 18

Il râle depuis qu'on a quitté la maison. Mon père ne va chez le médecin que quand la mort le menace de vive voix. J'ai dû user de persuasion, et d'un chouïa de chantage affectif. J'étais inquiète, il pouvait bien faire un petit contrôle histoire de me rassurer. Il a fini par accepter, uniquement pour que je lui lâche le short.

On arrive pile à l'heure. Je suis toujours en avance, mon père toujours en retard, équilibre parfait. Nous sommes les seuls dans la salle d'attente. Mon père fouille dans son sac à dos en soupirant.

— Tu cherches quelque chose ?

— Ma carte Vitale, je sais pas où je l'ai foutue.

Il l'a déjà perdue la semaine dernière, et celle d'avant. Il a remué toutes ses affaires, pour finalement la trouver, les deux fois, dans son portefeuille. Quand je lui ai demandé s'il en avait besoin, il a répondu par la négative.

Depuis la conversation avec ma sœur, le brouillard s'est levé. Je remarque des situations qui me semblaient anodines avant. Mon père passe beaucoup de temps à chercher des choses. Il lui arrive d'entrer dans une pièce et de sembler ailleurs, comme s'il avait égaré la raison de sa venue en chemin. Il est encore plus désordonné qu'à l'accoutumée. Il a changé, imperceptiblement. Je ne comprends pas comment je ne l'ai pas remarqué avant. Mon cerveau était prêt à croire l'improbable plutôt qu'accepter l'inconcevable.

— Tu veux que je t'aide ?

Il me tend son sac, je plonge dedans en me marrant :

— Mais quel bordel ! Qu'est-ce que tu fais avec tout ça ?

Je sors une brosse à dents et un tournevis. Il se bidonne :

— Aucune idée ! Je cherchais ma brosse à dents partout.

La carte Vitale est au même endroit que d'habitude. Je l'observe du coin de l'œil, il tape sur ses cuisses le tempo d'un morceau que je ne reconnais pas. Il n'a pas l'air inquiet. C'est sans doute la première fois que j'espère que les autres ont raison.

Le médecin semble heureux de voir mon père. Ce n'est pas si souvent. Il me suit depuis ma naissance, il tient dans ses mains la santé de toute la famille. Mon père lui résume la situation :

— Docteur, ma fille croit que je yoyote de la cafetière.

Les deux se tournent vers moi. J'ai l'impression d'être sur le banc des accusés.

— Je n'ai pas dit ça, je m'inquiète un peu, je voudrais être sûre de ne pas passer à côté de quelque chose.

Le médecin s'esclaffe :

— C'est la phrase préférée des hypocondriaques, tu sais ? Ton père a l'air en pleine forme, qu'est-ce qui te préoccupe ?

Gênée par la présence de mon père, je bafouille que j'ai parfois l'impression qu'il fait des choses un peu bizarres. Le médecin me regarde comme si c'était moi qui fuyais du bocal. Je me sens ridicule.

Il se lève, fait le tour de son bureau et enfile le tensiomètre autour du bras de mon père.

— Jean, rappelle-moi ton âge, finit-il par dire.

— Soixante-sept ans, hors taxes.

Ils rient. Deux gamins en costume d'adulte.

— En quelle année est-on ? interroge-t-il.

— 2021, répond mon père.

— Qui est le président de la République ?

— Macron, malheureusement. Enfin, lui ou un autre… Tous des rigolos.

— Dans quel pays sommes-nous ?

Mon père fronce les sourcils. Son regard se perd dans le mur. Il reste plusieurs secondes silencieux, visiblement concentré, avant de s'illuminer :

— La Gaule, mais attention, Jules César arrive !

Il est fier de sa blague. Il aurait tort de s'en priver, le docteur est hilare. Il m'annonce que je n'ai aucune raison de me faire du souci, que mon père est en pleine forme, ce que ce dernier approuve exagérément. La carte Vitale est insérée dans la machine, une ampoule de vitamine D est prescrite, la recommandation de mieux manger et plus bouger est faite. J'ai envie de les croire, de laisser le soulagement gagner la partie, mais mes yeux sont ouverts. Il me reste une munition, que j'aurais voulu ne pas avoir à charger, pour ne pas mettre mon père en difficulté. Ils ne me laissent pas le choix.

— Papa, regarde la pendule au mur. Quelle heure est-il ?

Il ne rit plus, et moi j'ai envie de chialer. Je le vois chercher la réponse sur le cadran, demander aux aiguilles de lui souffler un indice.

— 11 h 25, finit-il par lâcher.

Le médecin reprend son bloc d'ordonnances et griffonne quelques mots.

Je parle tout au long du trajet retour. Je noie les inquiétudes sous des tonnes de bavardages. Mon père est d'humeur légère, il cherche les radios qui diffusent des titres qu'il aime. Il s'arrête sur RTL2 et « Stairway to Heaven ». Il mime la guitare et chante à tue-tête. Je sais, à l'instant où je le vis, que ce moment s'incrustera dans ma mémoire.

J'avais prévu de m'arrêter acheter des fruits, mais je n'ai qu'une envie : rentrer à la maison, retrouver Gaëtan et Charlie. À peine a-t-on passé la porte que mon fils traîne son grand-père dans la chambre pour lui montrer le nouvel accord de guitare qu'il a appris.

Gaëtan me demande de lui raconter. Je m'exécute brièvement, j'ai envie de penser à autre chose. De passer à autre chose. Ranger la cuisine, passer l'aspirateur, m'occuper des devoirs de Charlie. Le médecin nous a orientés vers un neurologue, qui sera plus à même de nous rassurer. Pour cette même raison, il a prescrit un scanner cérébral. J'ouvre le lave-vaisselle et je commence à le vider. Il ne faut pas traîner, le rendez-vous a amputé une bonne partie de la soirée. Je jette un coup d'œil à ma montre : il est plus de dix-huit heures.

PARTIE 2

La colère

Chapitre 19

Il fait froid ce soir, un froid sec qui me brûle le nez dès les premières foulées. Les rues sont désertes, les volets fermés, au loin le ronron de l'autoroute me parvient, sans troubler le bruit de mes pensées.

INSPIRER
j'aurais dû mettre des chaussettes plus hautes ; il faut que j'en rachète à Charlie ; ça fait plusieurs nuits qu'il se réveille en pleurant ; j'en parlerai à la pédopsy ; elle s'en fichera sans doute ; elle n'a pas répondu à mon mail ; faudrait que j'en cherche une autre ; j'aime bien la statuette sur son bureau ; faudrait que j'ose lui demander où elle l'a trouvée ; la prochaine fois qu'elle me dit que c'est de ma faute, je l'assomme avec ; il fait vraiment froid ; j'espère qu'il s'adaptera au collège ; j'espère que les autres ne se moqueront pas de lui ; mon bébé ; j'irai le chercher chaque soir avec une statuette dans la poche ;

EXPIRER

on n'a plus de lait ; faut que je fasse les courses ;
du chocolat aussi ; une seule plaque ; allez, deux ;
et de la lessive aussi ; faudrait que je m'arrête
pour noter, je vais oublier ; j'oublie beaucoup de
choses ces derniers temps ; c'est la fatigue ; peut-
être que pour papa aussi c'est juste la fatigue ; il
va très bien ; ils mettent du temps à commencer
les travaux ;

INSPIRER

monsieur Colin ne me dit plus bonjour ; il n'était
déjà pas chaleureux, il va finir chez Picard ; j'ai
un humour de merde ; ce serait bien qu'il soit
pas né ; Juliane, ça suffit ; je dois absolument finir
l'appel d'offres demain ; et répondre au mail de
la directrice ; ah mais il y a le pot de départ de
Christian demain ;

EXPIRER

ça va me faire rentrer tard ; il est joli, ce chat ; il
doit avoir chaud avec ses poils ; je devrais laisser
pousser les miens ; je me suis encore endormie
devant le film hier soir ; j'aime vraiment beaucoup Bacri ; papa est plus râleur que lui ; il doit
en avoir marre de vivre dans une chambre ;

INSPIRER

il a encore oublié son code PIN ; il est trop jeune
pour Alzheimer ; je vais me faire un ulcère ; il faut
que je passe à la pharmacie ; faut que je prenne
rendez-vous pour le contrôle technique ; c'était

bien, le câlin avec Gaëtan, ce matin ; on devrait prendre le temps plus souvent ;

EXPIRER

il faut que j'achète du dentifrice ; elles me font mal aux pieds, ces chaussures ; je devrais essayer les semelles en gel ;

INSPIRER

c'est bizarre qu'ils n'aient pas encore enlevé les décorations de Noël ; mamie me manque ; j'ai pris deux kilos ; il faut que j'arrête les galettes des Rois, l'Épiphanie est passée ;

EXPIRER

j'ai envie de tartines de beurre salé ; j'aimerais retourner en Bretagne ; je n'aurais pas la patience de Gaëtan ;

INSPIRER

papa est dur avec lui ; zut, j'ai oublié de rappeler maman ;

EXPIRER

elle va en faire un drame ; elle semble fatiguée en ce moment ;

INSPIRER

j'aime cette odeur de cheminée

EXPIRER

Adèle me manque

INSPIRER

EXPIRER

INSPIRER

EXPIRER

Chapitre 20

— Juliane, tu peux me passer la moutarde s'il te plaît ?

Mon père ne m'appelle jamais Juliane. Ma mère aimait ce prénom, il l'a accepté par amour, quand l'amour a disparu, le prénom aussi. Je suis devenue « Microbe » à la séparation, et je suis à peu près certaine que ce choix a un lien avec l'hypocondrie de ma mère. Ma sœur, quant à elle, a eu le bonheur de se transformer en « Moustique ». Chaque fois que j'entends mon prénom dans sa voix, une alarme sonne.

Je lui tends le sel et reprends la mastication appliquée de mon repas. Il rit :

— Je t'ai demandé la moutarde, pas le sel ! En fait c'est toi qui perds la boule !

Gaëtan corrige mon erreur, il a remarqué que mon esprit était ailleurs. Je lui souris distraitement et je rejoins mes idées noires.

La maîtresse de Charlie m'a alpaguée : il fallait qu'on parle. J'ai sorti mon agenda, pensant qu'elle me demandait un rendez-vous, mais ce qu'elle avait à me dire ne nécessitait manifestement ni temps ni délicatesse.

Mon fils a besoin d'une personne pour l'aider. Il ne comprend pas les consignes, elle a trente élèves. Je dois faire une demande de reconnaissance de handicap auprès de la MDPH et demander l'octroi d'une assistante de vie scolaire.

En trois phrases, entrecoupées d'enfants qui lui posaient des questions et de parents qui la saluaient, elle a pris mon cœur et l'a froissé comme un dessin loupé. Tout le trajet, en souriant à Charlie dans le rétroviseur, j'ai ressassé l'échange, en focalisant sur la forme plutôt que sur le fond. Aurais-je préféré être assise, au chaud dans un bureau, pour entendre que mon fils ne s'en sortait pas tout seul ? Aurais-je aimé qu'on me serve un café, qu'on prenne le temps, qu'on enrobe les mots gris dans du papier coloré pour m'apprendre ce que je redoutais ? Finalement, existe-t-il une bonne manière de faire tomber le ciel sur une tête ?

Handicap.

Le mot se tord dans ma tête, tourne, vire, se cogne, me blesse. Il me fait peur. Je ne le connais pas, je ne veux pas le connaître. C'est un gros mot, un mot laid, un mot que l'on ne prononce pas.

Je n'ai jamais considéré le trouble de Charlie comme un handicap. Dans mon esprit, le handicap, ce n'était pas ça. C'était le garçon en fauteuil que je croisais chez la psychomotricienne. Le gamin qui hurlait sous son casque, dans la salle d'attente de l'hôpital. La petite fille porteuse de trisomie 21 que je croise chaque matin à l'école. Je les observais du coin de l'œil, puis je regardais mon fils, en détestant ce que je ressentais. La compassion s'accorde mal avec le soulagement. Pourtant, c'est factuel : la dysphasie est un handicap. L'orthophoniste l'avait mentionné, un jour, mais l'information avait ricoché sur mon tympan avant de s'évaporer.

Ça pourrait être pire. Je le sais, je l'ai vu. Mais, pour mon enfant, je ne veux ni le pire, ni le pas pire. Je veux le rien du tout, le sans-souci, le sans-inquiétude, le sans-étiquette, le comme-les-autres, le sans-moquerie, le dans-les-cases. Je veux une ligne droite, sans obstacle ni virage, avec des fleurs sur les côtés et des oiseaux qui font une haie d'honneur. Je sais les dégâts que peuvent infliger les railleries et les mises à l'écart chez un enfant ou un adolescent, je sais combien ces périodes de construction sont importantes pour la suite, et je sais que la moindre différence peut catalyser la cruauté des autres. Ma différence à moi, c'était mon père.

— Bon, et mon tipi alors ?

Ça faisait longtemps. Charlie réagit aussitôt, en sautant à pieds joints sur sa chaise :

— Oui ! Et notre tipi alors ?

Je n'ai pas le courage, ce soir. D'un regard, je passe le relais à Gaëtan. Il avale une rasade d'eau et sourit à mon père :

— Jean, ça ne va pas être possible dans le jardin, ça prendrait toute la place, et les gens qui passent devant se demanderaient ce qu'un tipi fait ici. En revanche, j'ai fait quelques recherches, et j'ai trouvé quelque chose qui pourrait vous plaire.

Il se lève, disparaît dans l'entrée et revient avec son ordinateur portable. Pendant qu'il le démarre, je lance un coup d'œil à mon père. Il semble aussi intrigué que moi. Mon mari avait préparé son coup, il arbore l'air fier de celui qui a gravi l'Everest.

— Tadaaaam !

Sur l'écran s'affiche la photo d'un petit tipi en tissu bleu orné d'étoiles dorées. Je n'ose pas regarder mon père. Je n'ose pas regarder Gaëtan. Je fixe l'écran en essayant de me rappeler la hauteur de l'Everest.

— C'est un tipi pour enfant ? demande mon père.

— Tout à fait, répond crânement le grimpeur. Vous pourriez l'installer dans votre chambre. Bon, il faudrait enlever la commode pour faire de la place, mais je me suis dit que c'était un bon compromis.

Silence.

C'est la voix de Charlie qui y met fin :

— Mais papy il est trop grand ! Ses jambes ils vont pas rentrer !

— En effet, *elles* ne vont pas rentrer, je réponds en insistant sur le pronom personnel. Mais c'était une bonne idée quand même, merci Gaëtan.

Je me sens comme un gourou qui tente de convaincre ses ouailles. Mon mari sourit toujours. Foutu mal des montagnes. Mon père, qui n'a laissé transparaître aucune réaction, finit par hocher la tête :

— Je ne pensais pas dire ça un jour, mais je trouve que c'est une très bonne idée.

Charlie tape des mains, Gaëtan a un instant de sidération, il lui faut une bonne minute pour se remettre du choc et s'atteler à la commande de la tente d'Indien.

Deux possibilités : soit mon père a mis de l'eau dans son vin, soit c'est plus grave que je ne le pensais. J'ai envie de me lever et de le prendre dans mes bras. Mais, chez nous, on ne fait pas ce genre de chose. La tendresse, c'est comme la culotte, on ne la montre pas en public.

— Papy, tu vas où ?

Mon père vient de se lever sans un mot et se dirige vers sa chambre. Il attend d'avoir atteint la porte et capté toute notre attention, pour lâcher son missile :

— Je vais chercher une scie, pour me couper les jambes.

9 949 mètres. Ça fait haut, pour une chute.

Chapitre 21

— Papa, il faut vraiment que tu fasses attention.

Il me regarde comme s'il ne comprenait pas, comme si je ne lui répétais pas cette phrase trois mille fois par jour. Quand il n'oublie pas le beurre sur la table, ce sont les clés sur la porte, la fenêtre qu'il ne ferme pas, la lumière qu'il laisse allumée.

— Désolé, j'ai oublié.

Il referme l'emballage et replace la tablette au réfrigérateur. J'étais étonnée de le trouver à la maison en rentrant du travail. Habituellement, il apparaît en même temps que la nuit. Il était assis à la table de la cuisine, en compagnie d'une baguette de pain et d'un saucisson. Depuis qu'il vit ici, je suis impressionnée par la quantité de nourriture qu'il ingurgite. Je me demande ce qu'il en fait, il est taillé dans un cure-dents.

Je m'apprête à attaquer le rangement de la cuisine – programme immuable du mardi soir – quand on frappe à la porte. Monsieur Colin est en colère, et il a sorti tout l'attirail pour le faire savoir : sourcils froncés, joues rouges, bras croisés et regard noir. Encore un petit effort et il explose.

— Madame, je vous préviens que je ne vais pas me laisser faire.

J'ignore ce dont il me parle, mais quelqu'un en sait visiblement plus que moi. Mon père débarque, tête haute et épaules aussi carrées que possible.

— Monsieur Merlan, quelle bonne surprise !

Le voisin vire au violet :

— Je m'appelle monsieur Colin ! Et je vous interdis de toucher à ma poubelle !

Mon père enfile un air étonné qui ne convainc que lui :

— Mais de quoi m'accuse-t-on ? Je n'oserais jamais toucher à votre femme.

— Je ne vous permets pas ! hurle monsieur Colin, dont les yeux menacent de se jeter de leurs orbites à tout moment.

— Oh, ça va, Colin, c'était de l'humour. Pétez un coup.

Je me mords les joues. Mon père a toujours eu cette manie d'oublier l'accent sur le *e* du mot *péter*. Cela faisait notre bonheur, à ma sœur et moi, quand on avait l'âge de rire de rien.

La joute verbale se poursuit. Si je comprends bien, monsieur Colin avait volontairement laissé sa poubelle devant chez lui pour condamner la

106

place de stationnement. Mon père, étant arrivé avant nous, aurait donc eu tout loisir de s'arrêter devant notre maison, mais il semble qu'il ait préféré sa place habituelle.

— Vous savez, je ne compte pas me laisser faire, fulmine mon voisin. Je vais prendre conseil auprès de mon frère, il se trouve qu'il est policier municipal.

— Personne n'est parfait, lâche mon père.

Monsieur Colin me fait de la peine. Je me sens obligée d'intervenir.

— Papa, arrête s'il te plaît. On devrait pouvoir trouver un compromis.

— On a déjà la première partie du mot, grommelle-t-il.

Je ne relève pas, tout à mon rôle de médiatrice :

— Monsieur Colin, il y a deux places devant chez vous, et vous n'avez qu'une voiture. Est-ce si dérangeant que mon père se gare sur l'une d'elles ?

Ses lèvres sont si pincées que les mots peinent à se frayer un passage :

— Il aurait pu me demander, c'est la moindre des choses.

Une petite lueur d'espoir danse sous mes yeux. Je me tourne vers le paternel :

— Papa, peux-tu demander poliment à monsieur Colin si tu peux stationner devant sa maison ?

Je suis son Judas. Son regard me crucifie.

— Tu veux pas que je lui apporte des cookies aussi ?

— Papa… s'il te plaît.

Je mesure le sacrifice que je lui demande. Mon père a préféré perdre un emploi que s'écraser devant son supérieur. Il a préféré sa fierté à ma mère. Ses mâchoires sont scellées, son souffle est court. Monsieur Colin semble apaisé. Le simple fait d'avoir pu verbaliser ses griefs a refait circuler le sang dans son corps.

Mon père inspire brièvement :

— OK, est-ce que je peux me garer devant chez vous, s'il vous plaît ?

J'ai envie de lui sauter au cou. C'est pour moi qu'il l'a fait.

Monsieur Colin sourit. Je n'avais jamais vu ses dents. Il fait presque peur.

— C'est bien aimable à vous de me demander, répond-il, avant de tourner les talons et de se diriger vers le portail.

Mon père le hèle :

— Et alors, je peux ?

Le voisin ne prend même pas la peine de se retourner, sa réponse claque dans le silence du soir :

— NON.

Chapitre 22

Il y avait longtemps qu'on n'avait pas dîné au restaurant tous les deux. C'est notre anniversaire, le 7 février. On a fait venir la baby-sitter, la même que tous les ans. Charlie l'adore, elle le laisse jouer à la console. L'amour des enfants est proportionnel à Nintendo.

Comme chaque année, cette parenthèse à deux est l'occasion de remonter le fil de notre histoire, de visiter nos souvenirs.

Notre rencontre fête ses douze ans. Nous étions à quelques jours de la Saint-Valentin, et je faisais tout pour éviter cet étalage d'amour écœurant. Je sortais d'une histoire qui m'avait abîmée. Un homme qui confondait amour et possession. Il voulait être le seul à m'aimer, moi-même je n'en avais pas le droit. À force de mots, il a réussi, en un temps assez remarquable, à confisquer toute trace de confiance en moi. Je n'étais jamais assez et toujours trop, je me trompais, j'avais tort, je ne comprenais rien, je ne le méritais pas. « Pauvre fille » était devenu mon patronyme. Il me caressait avec du papier de verre, et je le remerciais. Je me sentais chanceuse qu'il daigne m'accepter dans sa vie. Il m'a tout pris, même la rupture. Il m'a quittée salement. Comme il m'a aimée, finalement. J'ai déprimé pendant des mois, avant de comprendre que son départ était son plus beau cadeau.

Je me méfiais de Gaëtan. La bienveillance m'agressait. Je guettais la vacherie derrière le compliment, je cherchais la morsure derrière le sourire. Il lui a fallu du temps – et pas mal de résistance – pour fendre mon armure. Derrière son sourire, il y avait un sourire. Derrière ses compliments, il y avait des compliments.

Gaëtan ne lance jamais de conversation, peut passer des heures sans ouvrir la bouche, ne pense pas à appeler ses proches pour prendre des nouvelles, ne prend pas d'initiative, il est casanier, limite pantouflard, il dort en travers du lit et ne rince jamais le lavabo après s'être rasé. Gaëtan vole au secours de l'ami en galère, s'arrête pour aider l'inconnu en panne sur le bas-côté, sait percevoir quand ça ne va pas, ses silences sont solides, il accepte même ce qu'il ne comprend pas, sans juger ni condamner, il ne retient pas ses larmes devant un film émouvant, il donne de son temps pour aider ceux qui ont moins de chance que lui, il m'écrit des mots d'amour dans la buée du miroir, il s'endort une main sur moi, il est d'une patience infinie, il ne tire jamais le premier, il place Charlie sur le haut de la liste de ses priorités, avec les Lego. On devrait tous avoir un Gaëtan dans sa vie.

Il m'insupporte parfois. Il y a des périodes où je rêve d'ailleurs, de week-ends surprises, de cœur qui s'emballe et de premières fois. Il y a des rencontres qui font vaciller mes certitudes. Et puis, je ferme les yeux et j'imagine. La vie sans ses poils dans le lavabo, sans ses pieds posés sur la table basse, sans ses silences, sans sa main sur mon ventre. La vie sans lui. Et j'ai mal, physiquement.

Je ne l'aime pas de la manière dont j'aurais aimé aimer, quand j'avais l'âge d'avoir des certitudes. J'imaginais l'ébullition des sentiments, la cavalcade dans la poitrine, les frissons, la passion. C'est tellement mieux, en réalité. C'est la phrase que je n'ai pas besoin de terminer, c'est savoir sans dire, c'est la communion des souvenirs, c'est vivre encore plus fort quand il est là, c'est connaître ses failles et l'aimer quand même.

La soirée s'écoule. On repense au premier sourire, dans cette agence immobilière qui l'embauchait alors. On revit notre premier baiser, au milieu de l'appartement vide qu'il venait de me louer. On refait le film de ces douze années, succession de diapositives plus ou moins heureuses. Parfois, l'un se rappelle une anecdote que l'autre a oubliée. Je me demande souvent si le moment que je suis en train de vivre restera gravé ou s'il s'évaporera. J'aimerais savoir comment se passe la sélection, quel critère transforme un épisode en souvenir.

Gaëtan porte le pull noir que je lui ai offert pour son anniversaire. Son front est barré de deux rides horizontales, et des cernes assombrissent son regard. Il a perdu pas mal de cheveux, et ceux qui sont restés commencent à virer au gris. Il porte la barbe depuis que je le connais, peut-être même depuis qu'il est né. Il pense que, sans, il aurait l'air trop jeune. Ce n'est pas son apparence qui m'a séduite. Je ne le trouvais pas particulièrement beau, j'aimais son sourire, sa voix, son regard doux. Maintenant que je le connais, je le sais : avec ou sans barbe, il est beau.

Le tiramisu est délicieux. J'en ai pris une seconde part, pour m'en assurer. Gaëtan a tenté d'en goûter un morceau, il a failli y laisser la main.

L'écran de mon téléphone s'allume, la table vibre. Je l'ai posé près de l'assiette, pour ne pas manquer un appel de la baby-sitter. C'est elle.

« Tout s'est très bien passé, à la prochaine fois ! Laurie »

Le mascarpone me semble pâteux, tout à coup. Elle n'était pas censée partir avant notre retour. Un coup de fil plus tard, le dîner est terminé.

Mon père a congédié la baby-sitter, assurant qu'il était tout à fait capable de s'occuper de son petit-fils. Notre avis étant apparemment optionnel, elle est rentrée chez elle.

Le trajet dure mille ans. Les feux rougissent à notre passage, les voitures se traînent, les bus pullulent, il ne manque qu'un tracteur pour que toutes les cases du pire trajet soient cochées. J'enchaîne les appels à mon père, il ne répond pas. Je presse Gaëtan, je voudrais qu'il fasse disparaître les obstacles, qu'il joue aux auto-tamponneuses pour qu'on avance plus vite. Je suis terrorisée.

L'année dernière, mon père a emmené Charlie à la pêche. Mon fils en rêvait depuis que son grand-père lui avait montré la photo d'un brochet énorme qu'il avait capturé. Le lac est entouré de forêts de pins. Je n'étais pas inquiète en lui confiant Charlie, il avait l'habitude de s'occuper de lui ponctuellement. Je l'ai été quand il ne l'a pas ramené à l'heure prévue. Quand il n'a pas répondu au téléphone. Quand il a fini par m'appeler, pour me dire que la gendarmerie cherchait mon fils dans les bois entourant le lac. Ils l'ont retrouvé à la nuit tombée. Il s'était éloigné pour suivre un écureuil, son grand-père ne s'en est rendu compte que bien plus tard. Il en a fait pipi au lit pendant des semaines. Je n'ai pas parlé à mon père pendant huit mois, jusqu'à l'incendie de sa maison.

Je n'attends pas que Gaëtan coupe le moteur, je saute de la voiture comme un bouchon de champagne, je cours, pestant contre monsieur Colin qui s'est garé presque contre notre portail, et je me rue dans la maison, bien décidée à faire la même chose dans mon père.

Ils ne lèvent pas la tête en m'entendant. Mon père, assis sur le canapé, tient la guitare de Charlie entre ses mains. Debout face à lui, le petit professeur lui apprend comment placer ses doigts.

Chapitre 23

Ouvrir son relevé de compte en buvant son café est une très mauvaise idée, on devrait nous en avertir, comme pour les cigarettes. En découvrant le montant de mon solde, le liquide brûlant sursaute dans ma gorge, manque de m'étouffer, avant de trouver l'issue nasale. C'est con, comme mort, noyée dans un expresso. Être à découvert est l'une de mes plus grandes peurs. Je connais au centime près le montant de nos dépenses et de notre salaire, je note chaque mouvement bancaire, j'anticipe les prélèvements et, dès que je le peux, je vire une petite somme sur un compte épargne.

– **437 euros**. C'est écrit en gras, pour que je ne passe pas à côté de ma mauvaise conduite.

En remontant le détail des opérations, je n'en reconnais aucune. Il me faut plusieurs minutes pour comprendre ma méprise, je ne voudrais pas être un de mes neurones.

Il s'agit du relevé de compte de mon père. Régulièrement, il va chercher son courrier dans sa boîte aux lettres, avant de le jeter dans un coin de sa chambre. Cette fois, il l'a laissé traîner sur le meuble de l'entrée, à l'endroit où nous posons le nôtre avant de l'ouvrir. Nous sommes dans la même banque, les enveloppes sont identiques, je n'ai pas fait attention au nom. Le soulagement est de courte durée. La maigre retraite de mon père n'est pas compatible avec la quantité d'achats et de retraits qu'il effectue. La plupart des paiements en carte bancaire sont destinés à des boutiques de téléachat. Il a la paperasse en horreur, ne lit jamais ses courriers, ne connaît pas plus le solde de son compte que le nòm de sa mutuelle, mais il n'a jamais été dépensier. Si tous les consommateurs étaient comme lui, les commerces feraient faillite. Il ne remplace vêtements et chaussures que quand on commence à voir à travers, la plupart de ses meubles provenaient de la déchetterie où il travaillait, il aimait les remettre en état et à son goût. Cette frénésie n'est pas normale, en plus d'être dangereuse. Je n'ose imaginer le nombre de courriers recommandés que la banque a dû lui envoyer.

Je me demande encore si je dois en discuter avec lui quand je le rejoins dans la cuisine.

— Papa, qu'est-ce que tu fais ?

— Laisse faire le chirurgien, Microbe.

Tournevis à la main, il opère ma machine à café éventrée.

116

— Pourquoi tu l'as démontée ?

Il désigne du doigt un verre rempli d'eau :

— J'ai voulu me faire couler un café, elle m'a donné de l'eau chaude. C'est pas la première fois, elle est en train de rendre l'âme. Ne t'inquiète pas, je vais trouver ce qu'elle a.

Je pouvais le regarder bricoler des heures, quand j'étais petite. Il aimait par-dessus tout donner vie au bois. Il avait fabriqué à ma mère une travailleuse pour ranger son matériel de couture. Il avait transformé un tonneau en bar, qui s'allumait quand on ouvrait la petite porte. Il m'avait offert une étagère en forme de pomme, peinte en rouge. J'y rangeais tous mes livres de la Bibliothèque rose.

— Tu as bien mis la dosette ?

Il rit :

— Bien sûr ! C'est ta machine qui déconne, pas ma tête.

Je m'approche et j'ouvre le compartiment censé recevoir la capsule de café.

— Regarde, papa, c'est vide.

— Je te dis que j'en ai mis une.

— Si tu en avais mis une, elle y serait encore. Tu vois bien qu'il n'y en a pas.

Il pose brusquement le tournevis sur le plan de travail :

— Arrête avec tes conneries, Juliane, je ne suis pas sénile !

Son ton rugueux me saisit. Je le regarde reprendre sa plongée dans les entrailles de la cafetière, sans un mot. Il observe attentivement toutes les pièces, les nettoie, les remonte, et referme la machine. Pendant qu'il se lave les mains, je branche la prise, remplis le réservoir d'eau, j'insère une dosette de café et appuie sur le bouton. L'engin ronronne, et un liquide brun ruisselle dans la tasse. Mon père sourit, fier d'avoir dompté la capricieuse. Avant de sortir de la pièce, je lui lance un dernier regard :

— Tu vois, ça marche mieux avec une dosette.

Chapitre 24

Je l'accompagne à l'hôpital. Il ne me l'a pas demandé clairement, ses soupirs l'ont fait pour lui. Quand je le lui ai proposé, sa voix a dit « pourquoi pas », et son sourire m'a remerciée. Il déteste les couloirs blancs depuis qu'ils portent le parfum de sa mère. Plus jeune, il n'avait rien contre un petit séjour en chambre numérotée. Il s'est même fait opérer d'une appendicite imaginaire pour retarder son service militaire.

Je cherche une place sur le gigantesque parking depuis plus de dix minutes, ma patience – déjà naturellement fragile – s'est volatilisée, quand un bruit attire mon regard vers le siège passager.

— Papa, qu'est-ce que tu fais ?

Je ne sais pas pourquoi je pose la question, la réponse tient dans la scène. Face au miroir du pare-soleil de ma voiture, à sec, sans mousse ni eau, mon père est en train de se raser.

— Il faut toujours être présentable, Microbe.

— Tu trimballes ton rasoir partout ?

— Non. Il était dans la poche de mon blouson, je sais pas pourquoi. C'est toi qui as ma carte Vitale ?

— Elle doit être dans ton portefeuille, comme d'habitude.

Après investigation, il s'avère que j'ai vu juste. La carte verte est dans le portefeuille. Qui se trouve dans son sac à dos, qui se trouve dans sa chambre, en compagnie de l'ordonnance pour le scanner. Il se poile :

— C'est un signe, Microbe ! Allez, on rentre à la maison.

— Tu plaisantes ? J'ai posé une demi-journée pour t'emmener, je te signale !

— Tu en poseras une autre, pas de quoi peuter un câble.

Il a recommencé à se raser. Comme un doigt d'honneur du destin, une voiture libère une place juste devant moi. J'ouvre la vitre, mais ça ne suffit pas à me calmer.

— Je sais que c'est un concept assez brumeux pour toi, papa, mais moi, j'ai du respect. Je respecte les contraintes, et je respecte les autres. J'avais une réunion importante, ce matin. Mais tu t'en cognes, pas vrai ? Ça ne t'a même pas effleuré, que je puisse avoir autre chose à faire qu'être à ta disposition. Tout ne tourne pas autour de ton nombril, tu sais.

Tout en parlant, j'ai repris le chemin de la maison. Si le trafic est fluide, on peut aller récupérer les documents et revenir. On aura quelques minutes de retard, quinze tout au plus. Le rasoir tressaute sur le tableau de bord. Mon père fixe la route. Il fait la tête. Ça ne dure jamais longtemps, juste assez pour signifier à son interlocuteur qu'il est mécontent, puis il reprend une attitude normale. C'est comme une coupure publicitaire au milieu d'un film, pour vendre un baril de contrariété. J'ai toujours détesté ce mode de communication qui n'en est pas un. Plus jeune, j'allais chercher ses mots aux forceps, je faisais la pitre pour le dérider. J'avais peur qu'il reste bloqué sur le mode boudeur.

— Ça roule bien, on devrait être à l'heure.

Il ne répond pas. Je ne suis pas capable de plus. J'ai conscience de la disproportion de ma réaction, pourtant je suis incapable de me raisonner. Je déborde. Dans ma tête, tout se mélange. Ma colère est un pot-pourri de souvenirs, de peurs et d'émotions fossilisées.

Je jette un coup d'œil à ma montre en passant les portes automatiques. On est en avance de trois minutes. Mon père marche devant moi à grandes enjambées, comme perché sur des échasses.

Je me détends une fois assise sur la chaise en métal de la salle d'attente.

Quand son nom est appelé, il renverse son sac en se levant, tout son contenu tombe par terre. Je lui fais signe d'y aller, et je prends le temps de ranger en attendant son retour. Sa boîte à cigarettes ne ferme pas tant elle est pleine, il les roule par avance pour gagner du temps. C'est un vieux cadeau de fête des Pères, une tête de chef indien est gravée dans le métal argenté. Le rasoir n'est pas le seul objet incongru à résider dans son sac, il côtoie une pince à linge, une télécommande, une fourchette et un bout de pain dur. Son portefeuille déborde de documents périmés ou inutiles. Je le vide entièrement pour mieux l'organiser. Dans un compartiment fermé par un zip, je découvre une photo que je n'avais jamais vue. Mon père, ma mère, ma sœur et moi, sur la plage. Je dois avoir six ans, ma sœur est un bébé. Sur mon maillot de bain une pièce, Minnie sourit. Mes parents aussi. Ils sont si jeunes, plus que je ne le suis aujourd'hui. Tandis que je glisse le cliché à sa place, j'assiste, comme téléspectatrice d'un documentaire, à un phénomène étrange : ma colère se débarrasse de sa mue, et l'angoisse apparaît.

Une jeune femme s'installe en face de moi pour attendre ses résultats. Elle lace lentement ses chaussures. Quand elle relève la tête, nos regards se rencontrent. Elle a les yeux clairs, pourtant j'y décèle la même chose que dans les iris noirs de sa voisine de droite. Les néons des salles d'attente médicale font danser la peur dans les yeux.

Son tee-shirt est à l'envers quand mon père me rejoint. Il est soulagé : c'est fini. En réalité, tout commence.

La jeune fille aux yeux bleus est appelée par la secrétaire. Elle ne dit pas au revoir, pressée de recevoir le verdict. Celui de mon père tombe peu après. Je m'attendais à ce qu'un médecin nous reçoive, mais le dossier contenant l'avenir de mon père lui est donné sans un mot.

Les échasses reprennent leur course, je cours presque pour le suivre. Sitôt les portes passées, il coince une cigarette entre ses lèvres et en enflamme l'extrémité en inspirant profondément.

— Allez, Microbe, ramène-moi et va travailler.

— Tu ne lis pas les résultats ?

— Je pensais attendre le rendez-vous chez le neurologue, mais si ça peut te rassurer, tiens.

Je saisis la pochette qu'il me tend. Plusieurs pages contiennent des images de son cerveau. C'est la dernière qui m'intéresse, le compte rendu médical.

TECHNIQUE :
Examen réalisé sans injection de produit de contraste.
INDICATION :
Troubles cognitifs.

RÉSULTATS :

Atrophie cortico sous-corticale diffuse, avec discrète hypodensité de la substance blanche profonde péri-ventriculaire, compatible à une leuco-encéphalopathie vraisemblablement d'origine vasculaire, d'autant plus qu'il existe quelques calcifications au niveau des siphons carotidiens. Les structures médianes sont en place, sans effet de masse.

— Alors ? me demande mon père en tirant sur sa clope.

— Je ne comprends rien.

— Alors ça doit pas être bien grave, Microbe. Allez, viens, on rentre à la maison.

Chapitre 25

J'ai tapé « leuco-encéphalopathie » dans Google, je n'ai pas aimé ce que j'ai lu. Le rendez-vous chez la neurologue a lieu dans trois semaines. J'ai mal au ventre. J'ai mangé deux paquets de Kinder.

Ma sœur ne semble pas inquiète. J'ai l'impression d'être la seule à voir l'iceberg. Elle m'a appelée en visio pour connaître les résultats, son sourire traverse l'écran :

— Il n'est plus tout jeune, son cerveau non plus, ça ne me semble pas alarmant.

— Merci de ce diagnostic, docteur.

Elle glousse :

— Tu sais que je maîtrise le sujet.

Adèle est hypocondriaque, ce qui lui confère une certaine expérience en la matière. Selon elle, elle a survécu à quelques AVC, cancers et scléroses en plaques. Chaque fois qu'elle se découvre une nouvelle maladie, elle est précipitée dans une angoisse paralysante. Elle regarde avec fatalisme la mort marcher vers elle. Quand les résultats d'une prise de sang, d'un scanner ou d'une échographie attestent qu'elle est en parfaite santé (le cabinet de radiologie pourrait porter son nom), une pulsion de vie intense s'empare d'elle. Le banal devient merveilleux, la vie est une succession de premières fois. Ça doit être formidable de revivre sans avoir à mourir.

— Ça va aller, Juliane. Le vieux va encore nous emmerder longtemps.

Ma sœur le sait : ma peur à moi, c'est la mort. La mienne, et encore plus celle des autres. Il m'arrive d'être exagérément bouleversée par le décès de quelqu'un que je ne connaissais que de loin. Lorsqu'il s'agit de proches, mon cerveau dysfonctionne. Je reste bloquée dans la phase de déni, incapable d'admettre que le monde continue de tourner alors qu'il y manque une personne. Je vis dans la terreur de perdre les gens que j'aime, plus exactement de continuer à vivre sans eux. Même quand le gens en question est le plus grand emmerdeur que la terre ait porté.

— Le vieux vous entend ! clame la personne concernée depuis sa chambre.

Ma sœur remue la tête, on se marre. Mon père a ce tic, quand il est contrarié : il remue la tête comme les chiens sur les plages arrière des voitures. Petites, on l'imitait en étouffant nos rires, ça avait le pouvoir de dissiper son irritation. Sa grande carcasse se traîne jusqu'à moi et se poste à mes côtés, face à l'écran :

— Ah mais il y a l'image aussi ! Salut, l'Américaine ! Il fait chaud chez toi ? T'es toute dégargancée.

Ça faisait longtemps que je n'avais pas entendu cette expression. Elle fait partie du dictionnaire personnel de mon père, composé de termes que lui seul emploie. J'ai grandi avec ce vocabulaire. C'est tard, dans la vingtaine, que j'ai su. *Débraillé*, *découvert*, *dépoitraillé* existent, *dégargancé* non. Ça a été comme une petite mort, j'ai vu défiler tous les regards vides auxquels j'avais fait face en prononçant des mots inexistants, persuadée de mon petit effet (je les entendais rarement, ils appartenaient donc forcément au langage soutenu).

— Je viens de faire du yoga, j'ai chaud, répond ma sœur.

— C'est bien, Moustique, le sport est bon pour la santé. Le docteur m'a conseillé d'en faire, mais ta sœur m'en empêche.

Je me tourne vers lui :

— Pardon ?

— Ne fais pas l'innocente… Le trampoline.

Ça l'amuse. Je le vois dans ses yeux, rien ne le fait plus rire que de faire marcher les autres. Mon père a le niveau sportif d'une boule à neige. Il s'est quand même foulé le poignet en tournant le volant. Je ne sais pas à qui il veut faire croire que je suis la cause de son manque d'activité physique, mais il est tombé sur plus tordue que lui.

— Justement, papa, puisque tu en parles, je voulais te proposer quelque chose.

Chapitre 26

Je n'ai jamais vu quelqu'un courir aussi lentement. Le verbe *marcher* a été inventé pour les gens qui courent comme mon père. J'ai l'impression de regarder une vidéo au ralenti. On dirait qu'il a des chaussures de ski aux pieds. Je ne suis même pas sûre qu'il avance. Mon Dieu, mais quelle idée j'ai eue.

Je ne lui ai pas laissé le choix. Malgré les recommandations du médecin, il n'était décidé à avoir une activité physique que quand elle pouvait me contrarier. Courir était beaucoup moins drôle qu'encombrer mon salon avec un trampoline.

Il a enfilé une parka beige, un short jaune fluo et de hautes chaussettes vertes. La quasi-totalité de ses vêtements ayant péri dans les flammes, il a acheté cet accoutrement récemment. J'espère qu'on ne croisera personne, il serait responsable de plusieurs décollements de rétines.

On n'est pas au bout de la rue qu'il me demande déjà si on arrive bientôt. Je me revois, il y a une trentaine d'années, lui poser la même question sur la route des vacances. Il répondait invariablement : « Microbe, admire le paysage, le voyage a déjà commencé. »

— Papa, admire le paysage, le voyage a déjà commencé.

Il couine, je le soupçonne d'avoir essayé de rire. Je le retiens par l'épaule :

— On va d'abord marcher, sinon ça va te refroidir.

Il ne se fait pas prier et remplace ses petites foulées par de grandes enjambées, ce qui me pousse à faire un constat stupéfiant : mon père est la seule personne sur terre à marcher plus vite qu'elle ne court.

La nuit est fraîche, la vapeur fait flotter des nuages devant notre bouche. Petit à petit, la respiration de mon père se calme. Il laisse s'échapper un soupir de temps à autre, pour que je prenne bien la mesure de son agacement, mais il me suit. Je trottine à ses côtés, je m'éloigne parfois pour me dégourdir les jambes, puis je reviens vers lui comme un boomerang.

Il montre ses premiers signes de lassitude au bout de trente minutes. C'est un bon début, je consens à reprendre le chemin de la maison.

— Ça t'a fait du bien ?

— Ouais, répond-il en allumant une cigarette.

— Papa !

Il me tend la boîte en métal, sourire en coin :

— T'en veux une ?

— Tu perds tout le bénéfice de la sortie, c'est dommage.

Le voir fumer réveille toujours une sourde angoisse en moi. Quand j'avais vingt ans, je suis allée consulter une voyante. Mon amie Isabelle avait eu recours à ses services et m'avait encouragée, pour savoir où me mènerait mon béguin pour un garçon dont j'ai oublié le nom. J'attendais surtout d'elle qu'elle me prédise un bonheur absolu et l'immortalité de tous mes proches. Elle vivait dans une maison aux murs en crépi saumon, son salon ressemblait à celui de mes parents, loin de la roulotte psychédélique que j'avais imaginée. Elle m'avait demandé d'apporter des photos de ceux que je voulais évoquer. J'avais choisi des clichés de l'amoureux éphémère, de ma mère, mon père, ma sœur et ma grand-mère. Ils étaient posés face contre la table, seul le verso était visible. La voyante en a pointé un du doigt en grimaçant. Elle m'a annoncé, la mine grave, que la personne sur la photo était gravement malade. Elle parlait de mon père. J'ai demandé s'il allait mourir, elle a répondu qu'elle ne pouvait pas répondre à ce genre de questions, mais elle me conseillait de profiter de lui. J'ai occulté tout le reste de la séance. Elle m'avait prévenue que ses prédictions étaient valables deux ans. Pendant deux ans, j'ai passé la moitié de mon temps à croire que j'allais perdre mon père, et l'autre à essayer de le convaincre d'arrêter de fumer. Ni l'un ni l'autre n'est arrivé.

Mon argument s'évapore dans la brume. Il tire longuement sur sa cigarette, et m'adresse un clin d'œil :

— T'inquiète, Microbe, le vieux est increvable.

Chapitre 27

Le cerisier se trouve face à la fenêtre de la cuisine, dans le jardin côté rue. Il était là avant notre arrivée, j'aime penser aux vies qu'il a couvées de son ombre, aux secrets dont il a été le témoin silencieux. On l'a vu comme un signe, lors de la première visite de cette maison. Gaëtan et moi avons des souvenirs d'enfance gorgés de cerises charnues. Ce soir, alors que je fais la vaisselle, une lueur inhabituelle attire mon regard vers ses branches. Il me faut un moment – et une expédition à l'extérieur – pour identifier exactement la chose. À la lumière du lampadaire, je comprends.

— Papa !

Assis sur le canapé, absorbé par le cours de guitare que lui donne Charlie, il ne réagit pas.

— Papa, c'est toi qui as mis un filet sur le cerisier ?

— Ouais, lâche-t-il simplement, comme si l'événement ne méritait pas d'explication.

— Pourquoi tu as fait ça ?

Il daigne lever la tête :

— À cause des merles. Ils bouffent toutes les cerises, ces petits bâtards.

Je l'observe plusieurs secondes, persuadée qu'il va se mettre à rire, se moquer de ma crédulité, de ma mine stupéfaite, me montrer la caméra, se féliciter de m'avoir joué ce tour hilarant. Mais il replonge le nez vers les cordes tendues.

— Papa, on est en février. Il n'y a pas encore de cerises.

Aucune réaction. Je me poste entre lui et mon fils.

— Papa, tu vois bien qu'il n'y a pas le moindre fruit dans l'arbre. Il n'y a même pas une feuille !

— Laisse-moi faire, Juliane, je m'y connais.

Gaëtan nous rejoint dans le salon.

— Tu t'y connais peut-être, n'empêche que les merles ne peuvent pas manger des cerises qui n'existent pas. C'est n'importe quoi !

— Maman, pourquoi tu cries ? me demande Charlie.

Je ne réponds pas, je n'ai pas la réponse. Je vais chercher l'ordinateur portable sur la table, lance une requête et j'approche l'écran du visage de mon père :

— Là, tu vois bien ! Fructification des cerisiers : fin mai à début juin. On en est loin.

Mon père me dévisage longuement, secoue la tête et se lève :

134

— Bonne nuit, Juliane.

La porte de sa chambre claque. Gaëtan me prend dans ses bras. Les larmes brûlent ma gorge. Je suis en colère. Je veux qu'il admette que j'ai raison, que le filet était une erreur, qu'il s'est trompé, juste trompé. Je veux qu'il me prouve qu'il vit dans la réalité. Je refuse d'y voir un symptôme. Une inattention, un oubli tout au plus. Je veux qu'il me rassure.

Chapitre 28

Ma mère n'a plus ni œil au beurre noir ni soixante-cinq ans. Son opération des paupières lui en a fait perdre dix. Bientôt, c'est elle qui va m'appeler maman.

— José n'a rien vu ?

— Rien du tout, répond-elle, mais c'est habituel. Je pourrais revenir avec un anus à la place de la bouche qu'il ne le remarquerait pas.

Je repose ma fourchette en essayant de chasser cette image de mon esprit. Elle en profite pour passer à son sujet favori :

— Et ton père ? Toujours aussi chiant ?

— Maman, s'il te plaît.

— Oh, ça va. Ta sœur m'a raconté que tu avais des inquiétudes à son sujet. Tu sais qu'il a toujours été original. En vivant avec lui, tu le vois davantage, c'est normal. Cela dit, s'il est comme sa tante…

— Sa tante ?

— Sa tante Michelle. Tu ne l'as pas connue, elle est morte juste avant ta naissance. Il l'aimait beaucoup. Elle était sénile, sans doute qu'aujourd'hui on appellerait ça Alzheimer. Bref, la dernière fois qu'on est allés la voir dans son mouroir, elle fixait le mur sans un mot. La grand-mère de ton père aussi, si je me souviens bien, elle a fini dans les choux. Mais ne te fais pas trop de souci, c'est sans doute juste le vieillissement normal d'un cerveau dérangé.

Je ne connaissais pas l'existence de la tante Michelle. De la famille de mon père, je ne connais que sa sœur, Marie-France, et mes cousins, que je n'ai pas vus depuis longtemps. Il y avait aussi sa mère, décédée il y a quelques années. Il nous emmenait lui rendre visite chaque week-end où nous étions chez lui. Elle l'accueillait toujours avec une amabilité, telle que « Tiens, voilà le bon à rien ». Elle nous servait un jus d'orange trop acide, je la soupçonnais de choisir celui-ci rien que pour nous voir grimacer. Elle répétait souvent qu'elle aurait voulu n'avoir qu'un enfant, son Jacques adoré, mais, ajoutait-elle, à son époque les femmes ne choisissaient pas. Elle me faisait peur, je détestais y aller. Il flottait dans sa maison une odeur de renfermé que je peux encore sentir en fermant les yeux. Avant de s'y rendre, mon père dressait toujours la liste des sujets dont il pourrait lui parler. Nos résultats scolaires, la météo, la mort d'un chanteur, la promo sur le jambon de pays à Intermarché. Il parlait, parlait, parlait, et elle, elle lui envoyait son mépris à la figure. Elle est morte avec toute sa méchanceté. Il en a été très malheureux, je crois qu'il enterrait surtout l'espoir de recevoir quelques miettes d'amour.

Le téléphone de ma mère n'arrête pas de vibrer depuis le début du déjeuner. Elle lit ses messages immédiatement et attend quelques minutes avant d'y répondre.

— Maman, tu as un amant ? je lui demande pour plaisanter.

Elle écarquille tellement les yeux que ses paupières neuves menacent de se déchirer.

— Maman, t'es sérieuse ?

Elle tente de nier, enfouit son téléphone dans son sac, change de sujet. Mais elle sait que je sais.

— Ne le dis pas à José, s'il te plaît.

Elle a chuchoté. Je la rassure, évidemment que je ne dévoilerai rien à son mari. J'essaie d'en savoir plus, est-ce quelqu'un que je connais, quel âge a-t-il, depuis combien de temps, elle élude toutes mes questions :

— Il est hors de question que je parle de ça avec ma fille.

On se quitte au coin de la rue, fidèles à notre habitude. Elle m'embrasse, efface du pouce la trace de rouge à lèvres sur ma joue, époussette mon épaule et me sourit :

— Ce vert te va très bien, Juliane. Mais tu devrais essayer avec un autre pantalon.

Chapitre 29

Le petit Lucas a encore malmené mon fils. Il devrait faire attention, je ne voudrais pas avoir l'air de le menacer, mais il lui manque déjà deux dents.

— Je suis pas débile ! ne fait que répéter Charlie depuis qu'il est rentré de l'école.

J'ai beau me raisonner, tenter de me persuader que confronter nos enfants à la vie – et à sa violence – est bénéfique, que les obstacles font grandir, j'ai parfois envie de le garder contre moi jusqu'à mon dernier jour. Je trouve regrettable qu'on ne puisse pas remettre nos enfants à l'abri dans notre ventre.

Tout est parti d'un blouson violet. Une doudoune pour laquelle Charlie a eu un coup de cœur hier soir. Ce matin, au moment de s'habiller, il a eu une hésitation : et si on se moquait de lui ? Je l'ai rassuré, sa doudoune était très belle, il n'y avait aucune raison d'en rire. Il m'a crue. Ses copains de classe n'avaient pas le même avis que moi. Apparemment, le violet est une couleur qui ne se porte pas quand on est un garçon. Charlie s'est défendu, et les mots blessants ont fusé.

— Moi, j'adore le violet, affirme mon père en s'installant à table.

— Mais toi, c'est pas pareil, bougonne mon fils.

— Ah bon ? Et pourquoi ça ? Parce que je suis vieux ?

Charlie hausse les sourcils, comme si la réponse était évidente :

— Ben non, parce que t'es bizarre.

Mon père éclate de rire. J'adore ce son, je faisais tout pour le provoquer, quand j'étais petite.

— J'espère bien être bizarre !

Charlie le regarde avec des yeux ronds :

— Ah bon ? Tu veux pas être comme les autres ?

Sa stupeur me gêne. J'ai toujours essayé d'ouvrir Charlie à la différence, de le rendre tolérant. C'est sans doute plus facile quand elle se tient loin de nous. Dans la réaction de mon fils, je reconnais la mienne. À l'âge où le regard des autres est plus important que le nôtre, j'ai souffert de l'originalité de mon père. Il était mon talon d'Achille. Mes copains s'amusaient de son look décalé et de son attitude qui contrastait avec celle des autres pères. J'aurais tout donné pour qu'il soit comme les autres, qu'il vienne me chercher en voiture noire et porte des costumes gris. J'ai compensé, j'ai grandi dans l'ombre de la norme. Et voilà que mon fils est différent. Je sais ce qui l'attend, l'enfance est un jeu de massacre dont on est la boîte de conserve.

— Plutôt crever qu'être comme les autres, réplique mon père en levant le menton.

— Mais si les gens te moquent, tu t'en fiches ?

— Petit, des gens se moqueront de toi toute ta vie, tu ne pourras rien y faire. Tu peux juste changer ta manière de réagir. Fais exactement ce qui te plaît, sans te laisser atteindre par l'avis des autres.

Charlie a les sourcils froncés, il n'a rien compris à la tirade de Papy Aristote. Ce dernier croit bon de reformuler :

— Fais ce que tu veux et emmerde les petits connards.

— Ce que ton grand-père cherche à te faire comprendre, intervient Gaëtan, c'est que le plus important, c'est toi. Il y aura toujours des…

— Non, non, le coupe mon père. Je veux bien dire qu'il doit emmerder les petits connards. Et si ça ne suffit pas, tu leur fous un coup de genou dans les couilles. En général, ça calme bien.

— Papa, on n'est pas dans *West Side Story*.

— Maman, c'est quoi les couilles ?

Gaëtan se racle la gorge :

— Jean, je préférerais que vous évitiez les gros mots devant Charlie. Et la violence, tant qu'on y est.

Mon père le fixe longuement, puis regarde mon fils et hoche la tête :

— Oui oui, désolé.

Mon mari est au moins aussi surpris que moi. On attend la scène finale, la note acide, la frappe ironique, mais mon père commence la dégustation de son assiette en silence, les yeux plongés dans son verre d'eau. L'événement est insignifiant, il ne mérite même pas ce nom, pourtant il me flanque une lame dans le bide. C'est bien Jean, assis là, face à moi, et pourtant, ce n'est déjà plus tout à fait lui.

Chapitre 30

Je suis très attachée à la décoration. Avant d'emménager, j'ai passé des jours à piocher l'inspiration sur Internet pour déterminer l'ambiance de chaque pièce. J'ai écumé brocantes et boutiques pour trouver les meubles parfaits. Chaque objet est à sa place, je me sens bien dans cet intérieur réconfortant. Ce soir, en rentrant du travail après une journée particulièrement éreintante, c'est tout le contraire que je ressens. Je ne suis pas chez moi, je suis chez les Sioux, je m'attends à voir débarquer Kevin Costner.

— Papa ?!

Aucune réponse. Je ne le vois pas, et il ne peut pas m'entendre. La guitare de Uriah Heep hurle son chagrin dans le haut-parleur. « Why did you go ». Il écoutait cette chanson en boucle quand ma mère est partie. Il m'avait demandé de traduire les paroles, j'apprenais l'anglais au collège, je les avais écrites sur une feuille à grands carreaux.

Charlie est euphorique. Un immense drapeau affichant une tête de chef indien nous accueille, tendu sur le mur du salon. Un totem presque aussi grand que moi trône près du canapé. Des statuettes recouvertes de poussière sont posées çà et là. Un calumet recouvre la table basse. Je coupe la musique.

— PAPAAAA !

Il sort de la salle de bains, la main couverte de sang :

— Tu tombes bien, Microbe, je me suis blessé avec le cutter. Tu as du désinfectant ?

Je l'entraîne au-dessus du lavabo et nettoie sa plaie à l'aveugle. La vue du sang me fait voir des étoiles, et elles ne brillent pas.

— Papa, c'est quoi tous ces trucs dans le salon ?

— C'est Saïd qui m'a prévenu, tu sais, celui qui m'a remplacé à la déchetterie. Un type est venu vider une remorque d'objets récupérés chez son père qui venait de mourir, il jetait tout, peut-être qu'ils étaient fâchés, j'en sais rien. Le totem est super beau, ça faisait longtemps que j'en cherchais un, je suis content.

Il est content. Je vais lui saigner l'autre main.

— Tu sais que tu ne peux pas laisser tout ça dans le salon ?

— Ah ? Ça ne te plaît pas ?

Je colle le pansement, un œil fermé et l'autre pas fier.

— Si si, j'adore. J'espère que tu m'as prévu une tenue de Pocahontas.

144

— Je peux te trouver ça. Quelle taille tu veux ?

— Je plaisantais, papa.

Il a l'air déconfit :

— Tu as donc pris l'humour de ta mère.

Je souris, il m'a eue.

Il consent, à contrecœur, à débarrasser le salon de ses nouveaux copains. Charlie lui propose d'héberger une squaw en bois et le totem dans sa chambre. Mon père, heureux de trouver un partenaire de passion, extirpe un grand livre de son capharnaüm et entraîne son petit-fils dans la cuisine pour le tremper dans la culture des Indiens. Le calumet, qu'il avait saisi pour le ranger, gît au sol. Une seule statuette a été déplacée, pour être oubliée en cours de route sur un autre buffet. Mais, en voyant mon fils absorbé par les histoires de son aïeul, en les voyant si complices, je me dis que mon salon peut supporter des intrus quelques minutes de plus. Le costume de grand-père lui va bien. Peut-être mieux que celui de père.

J'ai grandi avec un père aimant. Il détestait les jeux de société, mais adorait nous apprendre à taper dans un ballon, à jongler ou à grimper aux arbres. Parfois, il mettait la musique très fort et grattait sur une guitare imaginaire. On le rejoignait en criant pour former le groupe de rock le plus déjanté de la planète. Ma mère maîtrisait toutes les chansons en playback, c'était une chanteuse plus vraie que nature. Je chérissais ces moments avec lui, peut-être parce que je les savais rares. Il était aimant, mais absent. C'était un père à l'ancienne, de ceux qui n'ont jamais changé une couche ni donné un bain. Le soir, on ne savait jamais s'il allait rentrer. Ma mère dressait toujours la table pour quatre personnes, mais une assiette restait souvent vide. Il était en virée avec sa bande d'amis, il arrivait qu'il disparaisse pendant plusieurs jours. Après leur séparation, il s'est contenté du droit de garde minimum. Nous allions chez lui un week-end sur deux et la moitié des vacances. Quatre jours par mois, durant lesquels il était investi, présent, attentif. C'en était presque étouffant, parfois. Comme pour rattraper les heures d'absence, il se gavait de notre présence. Il n'aimait pas qu'on lise, qu'on sorte se balader avec des copains, qu'on s'enferme dans notre chambre. On devait jouer ensemble, discuter ensemble, regarder la télé ensemble, tout faire, ne rien faire, pourvu que ce soit ensemble. En dehors de ces parenthèses paternelles, on n'avait aucune nouvelle si on n'en prenait pas. Il disparaissait de notre champ de vision. Il ne venait pas aux spectacles, oubliait notre anniversaire. Le soir, quand je m'endormais en pensant à lui, je me racontais la plus jolie version de l'histoire : c'était sa manière de ne pas souffrir, de se préserver du manque. Je n'aimais pas l'autre version, plus réaliste, celle d'un homme qui aime ses enfants, mais encore plus sa liberté.

Chapitre 31

Je suis employée au service comptable d'un collège. Je suis chargée de la facturation, des appels d'offres et d'une partie de la gestion bancaire. C'est routinier et sans surprise, du sur-mesure pour moi. Je travaille là depuis la fin de mes études et, si on ne m'en déloge pas, j'y resterai jusqu'à la fin de ma carrière. J'ai croisé d'autres opportunités, mais la perspective de devoir tout recommencer me terrifie bien plus que l'ennui.

Je suis en train de traiter les relances quand mon téléphone sonne. Je décroche, et mon père fusille mon tympan :

— Juliane, mon chéquier a disparu !

— Bonjour, papa.

— On me l'a volé, c'est sûr.

— Arrête. Qui aurait pu faire ça ?

Silence.

— Où l'as-tu vu pour la dernière fois ?

— Dans ma chambre. Je l'avais laissé sur la commode.

— Tu vois bien, il n'y a que nous dans la maison.

Nouveau silence, qui sonne à mes oreilles comme un ongle sur une ardoise. Je me lève et quitte le bureau. Je ne veux pas poursuivre cette conversation devant mes collègues. Une fois dans la cour, je tente de mettre à nu ses sous-entendus :

— Papa, tu penses que c'est moi qui ai volé ton chéquier ?

— Je dis pas ça.

Il laisse passer quelques secondes, puis reprend :

— Pas forcément toi. Mais il n'a pas pu s'envoler.

Coup de poing dans le ventre.

— Qu'est-ce que je ferais de ton chéquier ? Tu penses que je pourrais voler mon propre père ?

— J'en sais rien. C'est peut-être quelqu'un d'autre alors.

— Oui, ça doit être Gaëtan.

— Sans doute.

— PAPA ! C'était sarcastique, Gaëtan n'a pas touché à ton chéquier !

— J'ai cherché partout, j'ai retourné ma chambre, la voiture, il n'est nulle part. Je m'en suis pas servi depuis un moment, ça me rend fou. Je vais acheter un coffre pour ranger mes objets précieux.

Mon collègue Gérard sort dans la cour et tire sur sa cigarette électronique. Il me fait un petit signe de la main. J'ai envie de pleurer. Je m'éloigne et murmure dans l'appareil :

— Je vais te laisser, j'ai du boulot. Je suis choquée que tu puisses imaginer qu'on te vole. Je te signale que j'ai mis de l'argent sur ton compte pour combler ton découvert, je ne suis pas assez conne pour me voler moi-même.

Je regrette la dernière phrase au moment où elle franchit mes lèvres. Je n'avais pas prévu de lui en parler, et, sachant qu'il n'ouvre pas son courrier, il ne l'aurait jamais appris. Mais il ne semble pas l'entendre.

— Ah ! Attends ! s'exclame-t-il.

Des bruits me parviennent, je crois reconnaître celui d'un tiroir, des papiers que l'on déplace, et un soupir de soulagement :

— C'est bon, je l'ai trouvé. Bisous, Microbe, à ce soir !

Il a raccroché. Je reste plantée dehors, à fixer mon téléphone silencieux en me disant que la situation pourrait difficilement être plus pénible, et puis, Gérard me prouve le contraire en s'avançant vers moi pour me parler de la pluie qui tarde à nous arroser.

Chapitre 32

Mon père adore le poisson. Avant que tout parte en fumée, il possédait l'attirail du pêcheur passionné, acquis au fil des ans et des abandons à la déchetterie. Quand j'étais petite, il nous emmenait souvent au bord d'un étang peu fréquenté, entouré de pins qui m'étourdissaient quand j'essayais d'en voir la cime. Il enfilait ses cuissardes, sortait son matériel de sa caisse de pêche – qui avait la particularité magique de se transformer en siège –, préparait ses lignes, accrochait sur les hameçons les vers qu'il s'était arrêté acheter en route (je me cachais les yeux à cette étape), et s'installait pour des heures. Dans mes plus anciens souvenirs, il était accompagné de mon grand-père maternel, pendant que ma mère et ma grand-mère s'occupaient de nous. Avec ma sœur, on attrapait des têtards dans des verres, avant de les relâcher en espérant que notre magnanimité contaminerait les adultes. En vain : chaque soir, nous dégustions les gardons, carpes et brochets qui s'étaient fait avoir par la promesse d'un festin piégé. Ce soir, je prépare des filets de daurade quand mon père fait irruption dans la cuisine :

— Si c'est du colin, j'en veux pas !

Gaëtan rit, bon public ascendant fayot. Mon père, encouragé, poursuit :

— Il ne devrait plus m'emmerder, avec ce que je lui ai mis.

Je me fige :

— Papa, il s'est passé quelque chose avec monsieur Colin ?

— Oh, trois fois rien. Je l'ai allégé de deux-trois dents.

Gaëtan s'apprête à se marrer encore une fois, mon regard l'en dissuade. Je demande des explications à mon père, il n'en demandait pas tant. Sans la moindre once de regret ou de gêne, il m'explique que le voisin l'a invectivé quand il est rentré cet après-midi. Ni une, ni deux, il a sauté la clôture et lui a fait la bise avec ses phalanges.

— Papa, dis-moi que ce n'est pas vrai. Tu ne peux pas avoir frappé le voisin.

— D'accord, je te dis que ce n'est pas vrai. Mais je mens.

Il est fier, le bougre. On l'applaudirait presque.

J'enfourne le plat et je quitte la maison sans un mot. Je dois empêcher mon voisin de déposer plainte. La lumière filtre à travers ses fenêtres.

Je sonne, il apparaît sur le pas de sa porte, aussi aimable qu'à l'accoutumée :

— Qu'est-ce que vous voulez ?

J'ai envie de rebrousser chemin. Cet homme doit pisser des glaçons.

— Monsieur Colin, je suis venue vous présenter mes excuses pour le comportement de mon père. C'est inacceptable, j'en ai bien conscience, mais ce n'est pas une mauvaise personne. Il n'est plus tout à fait lui-même ces derniers temps, il a des troubles cognitifs qui…

— C'est le moins qu'on puisse dire, me coupe-t-il. Cet individu est dérangé, il faut le faire interner.

Je force sur mes joues pour garder le sourire. Je ne suis pas loin de comprendre mon père.

— Je suis désolée. Cela n'arrivera plus, je vous le promets.

Il soulève un sourcil :

— Vous me garantissez qu'il ne se garera plus devant chez moi ?

— Je vous garantis qu'il ne vous frappera plus.

Il tord la bouche :

— Qu'est-ce que vous racontez ?

— Vous savez, le coup de poing qu'il vous a donné cet après-midi.

Il émet un bruit qui me fait reculer d'un bond. Il semble que ce soit un rire :

— Madame, il se trouve que j'ai fait de la boxe lors de mon service militaire, et je tenais le record du plus grand nombre de K.-O. Alors je peux vous assurer que le seul endroit où votre père m'a violenté, c'est dans ses rêves. Sur ce, il se trouve que je n'ai pas que cela à faire, je vous souhaite une bonne soirée.

Sa porte claque sur mon hébétude. Je reste figée quelques instants en me demandant lequel des deux s'arrange avec la réalité. Je ne peux pas, je ne veux pas croire que le cerveau de mon père soit endommagé au point de lui conter des fables. Monsieur Colin a certainement la fierté blessée et préfère taire sa déconvenue. Je longe le jardin du voisin pour regagner mon domicile quand la vérité m'apparaît. Je n'ai pas fait attention sur le moment, mais mon père a dit avoir sauté la clôture de monsieur Colin. La clôture qui est sous mes yeux. La clôture qui mesure, à vue d'œil, environ deux mètres.

Chapitre 33

— Tu as déjà vu des Indiens ? demande mon père à ma sœur.

Les appels visio à trois sont devenus un rendez-vous hebdomadaire. On trouve un horaire qui convienne à chacun, en tenant compte du décalage, et on passe une heure à bavarder comme si nous étions réellement ensemble.

Ma sœur répond par la négative : les Indiens ne courent pas les rues. Il semble étonné. Je me demande comment ça se passe, dans son imaginaire : est-ce que les États-Unis ressemblent à un épisode de *Docteur Quinn* ?

— Il faudra que je vienne, dit-il. Depuis le temps que j'en rêve.

Je l'ai toujours entendu en parler. Quand il était jeune, avec sa bande de copains, il fantasmait une traversée des États-Unis en Harley Davidson. Le film *Easy Rider* leur avait injecté un shoot de liberté. C'était hors d'atteinte, et ils le savaient sans doute, mais quelle meilleure voie que la

route 66 pour s'extraire de l'impasse de leur existence ? C'était leur sujet de conversation préféré
– avec les filles –, quand ils se retrouvaient chaque
jour. Pendant quelques heures, ils rêvaient d'évasion à dos de grosse cylindrée, puis ils rentraient
chez eux à dos de Solex. Il a fini par passer le permis moto, mais n'a jamais franchi l'Atlantique.
Pourtant, ça ne l'a jamais quitté, comme un projet inaccessible qu'on garde en plan B. Pendant
sa période de chômage, il y a sérieusement songé.
Mais il y avait fatalement quelque chose qui l'en-
travait, un fil à la patte qu'il n'arrivait pas à couper. Ses rêves ont toujours été plus libres que lui.

Quand ma sœur a emménagé à Chicago, on
était persuadées qu'il ne tarderait pas à lui rendre
visite. Il n'y est jamais allé. C'est comme s'il
voulait garder son rêve intact, ne pas l'abîmer.
Conserver une voie de secours, au cas où.

— Je t'ai déjà dit que tu venais quand tu voulais, papa. Mais je sais pourquoi tu ne l'as pas fait.

— Ah bon ? Et pourquoi ça ?

— Parce que t'as peur de l'avion, répond-elle
en riant.

— Pas du tout ! se défend-il vivement.

Je me bidonne avec ma sœur. Je suis persuadée
que le même souvenir vient de s'implanter dans
nos deux cartes mémoires. Adèle devait avoir
cinq ans, et elle était introuvable. Ma mère hurlait
son prénom dans toutes les pièces de la maison,

mon père courait partout, et moi j'étais pétrifiée. On a fini par être alertés par une petite voix : la sienne. Elle était bloquée tout en haut du prunier qui se trouvait au fond du jardin. C'était tout elle : agir, puis réfléchir. Mon père n'a pas hésité une seconde, il a enlacé le tronc, calé ses pieds sur les nœuds et grimpé pour rejoindre sa fille terrorisée. C'est là, à quatre mètres de hauteur, agrippé à une branche comme un koala, qu'il a découvert qu'il avait le vertige. Il a fallu des heures, une bonne dose de patience maternelle, et un fourgon de pompiers pour qu'il retrouve la terre ferme.

Mon père boude quelques secondes, jusqu'à ce que Nolan, son petit-fils américain, passe une tête dans l'écran. Joanna, la femme d'Adèle, vient compléter le tableau familial. Charlie nous rejoint, comme chaque fois qu'il entend la voix de son cousin, puis Gaëtan le suit. L'espace d'un moment, nous sommes tous réunis dans la même pièce. Le français et l'anglais se mêlent dans une cacophonie joyeuse, les sourires se croisent, le manque relâche sa morsure. On finit par se dire à bientôt, par se souhaiter le meilleur. Ma sœur lâche un « je vous aime » que l'on saisit au vol et qu'on lui renvoie en silence. Dans la famille, elle est la seule à parler couramment l'amour.

L'écran s'éteint, la pièce se vide. Mon père passe le bras autour de mes épaules, me serre un peu, pas trop, faudrait pas qu'il soit surpris en flagrant délit de tendresse.

— Elle a grandi, la petite, fait-il.

Mon sang se fige.

— Quelle petite, papa ?

— La petite, tu sais. Nolan. Quel âge elle a, maintenant ?

PARTIE 3

Le marchandage

Chapitre 34

Le cabinet du neurologue se trouve au premier étage d'une maison bourgeoise. Quand il entre dans la salle d'attente pour appeler mon père, l'homme semble étonné de le voir accompagné. Je me demande un instant si ma présence est nécessaire, voire si elle est souhaitable – mon père a peut-être envie d'être seul à se confronter à la réalité –, mais, d'un regard, il m'invite à le suivre.

— Que puis-je pour vous ?

Je lui tends le courrier écrit par le généraliste et les résultats du scanner. Il prend le temps de consulter l'ensemble, avant de lever la tête vers moi :

— Quels sont les signes qui vous inquiètent ?

Mon père a les yeux braqués sur moi, et je dois énumérer ses défaillances. C'est déchirant. J'ai l'impression à la fois de le trahir, de parler de lui comme s'il était absent, de le critiquer devant lui et de l'infantiliser. La gêne étouffe les mots dans ma gorge. Il insiste :

— Dans son courrier, mon confrère affirme que vous constatez des troubles cognitifs. Pouvez-vous me donner des exemples ?

Je souris à mon père, comme des excuses silencieuses, je déplie la liste que j'ai préparée et je la lis. À voix haute, je dis ses oublis, ses errances, ses erreurs, sa paranoïa, ses inversions, son irritabilité, ses fringales, sa fatigue, ses compulsions. C'est terrible, comme un long réquisitoire, j'imagine l'impact de chaque mot dans sa poitrine. J'ai envie de contrebalancer, de dire aussi son humour, sa sensibilité qui affleure sous ses manières bourrues, sa droiture, son courage. Mais on n'est pas là pour ça. Ici, on vient chercher le verdict.

Du coin de l'œil, je le vois se tortiller sur sa chaise, se triturer les doigts.

Le neurologue demande à mon père ce qu'il en pense.

— J'en pense qu'il faut pas vieillir.

— Vous n'êtes pas vieux.

— Je sais, je parlais pour vous.

Le neurologue ne rit pas, je me sens obligée de préciser que c'était de l'humour. Attitude habituelle : mon père noie sa gêne sous les blagues. Je le regarde, ses yeux pétillent. C'est un gamin mal déguisé en adulte.

Le questionnaire commence. Âge ? 67 ans hors taxes. Taille ? 1,83 mètre. Poids ? 68 kilos. Tabac ? Une quinzaine de cigarettes par jour, la première à douze ans. Alcool ? À l'occasion. Médicaments ? Bêtabloquants pour la tension, antidouleurs pour le dos, somnifères pour les soucis. Maladies ? Aucune. Opérations chirurgicales ? Appendicite, fracture ouverte, amygdales, c'est tout.

— Quel jour sommes-nous ? demande le médecin.

Mon père répond, ainsi qu'à la série de questions qui suivent. Date exacte, Premier ministre du moment, dans quelle ville sommes-nous, en quelle saison, dans quel département. Il ne laisse transparaître aucune émotion. Il n'a l'air ni agacé ni amusé. Il est concentré.

Le spécialiste l'interroge sur son mode de vie : se prépare-t-il à manger, sait-il laver son linge, fait-il lui-même ses courses, conduit-il, prend-il ses traitements, se lave-t-il ? C'est discret, presque imperceptible, mais je sens poindre son impatience.

On passe à une série de tests.

Le neurologue cite cinq mots : fourchette, limonade, vache, parapluie, France. Mon père doit les retenir.

Il a ensuite deux minutes pour énumérer autant d'animaux que possible. Le neurologue lui conseille de les balayer par famille et cite en exemple les poissons. Mon père se lance, en comptant sur ses doigts.

— Le gardon, le brochet, la brème, la carpe, le sandre, la tanche, le poisson-chat, le goujon.

C'est tout. De longues secondes s'écoulent, plombées de silence. Ses sourcils sont froncés, il interroge son cerveau, mais n'obtient pas de réponse. À trente secondes de la fin, le neurologue l'oriente vers les oiseaux, puis vers les insectes.

Vingt-quatre réponses en deux minutes. Il me restait peu d'espoir, et il vient de s'exploser contre un mur.

Le neurologue prend des notes et enchaîne avec un autre exercice. Il dessine un cercle sur une feuille blanche et la fait glisser sur le bureau en direction de mon père.

— C'est une horloge. Vous devez placer les chiffres dessus.

Je me détends. Je sais que mon père confond les deux aiguilles, mais je n'ai aucun doute : il sait placer les chiffres sur une montre.

Il le sait.

Papa, tu le sais.

Le 6 va en bas.

Papa, tu fais quoi ?

Il doit avoir la tête ailleurs.

Ce n'est pas possible.

Il fait claquer sa langue, il souffle. Il gigote, remue son pied. Il regarde autour de lui, sans doute à la recherche d'un indice, et il s'arrête sur moi. Ce que je lis dans ses yeux me transperce le cœur. Il est complètement perdu.

— Je comprends pas, finit-il par dire. Je le sais, pourtant, mais ça vient pas.

Le médecin laisse passer un long moment, puis tourne la feuille vers lui et écrit 12 en haut du rond. Le soulagement s'inscrit sur le visage de mon père, qui approche son stylo du papier et se met à noter. Quand il a fini, il relève son bras, dévoilant sa proposition. À droite du 12, il a placé le 13, puis le 14, et ainsi de suite, jusqu'au 30. Les nombres sont serrés les uns contre les autres. Ça ressemble à tout, sauf à une horloge.

Un examen physique est effectué. Il doit marcher, lire un court texte, effectuer des mouvements avec les bras. Le médecin percute plusieurs endroits de son corps avec un petit marteau.

Quand il revient s'asseoir, le neurologue lui demande les cinq mots cités au début du rendez-vous. Mon père applique sa main sur son front et ferme les yeux. Que se passe-t-il là-dedans ? Quel tourbillon ce doit être. Je l'imagine courir derrière ses pensées qui s'envolent comme des ballons gonflés à l'hélium. Mon pauvre papa.

Le médecin lui donne un coup de pouce : « Il y a une boisson. » Éclaircie, la limonade est citée, ainsi que les quatre autres mots, grâce à des indices.

Le neurologue se cale au fond de son fauteuil en compulsant les notes prises tout au long du rendez-vous. Je me ratatine. Je voudrais étirer ces dernières secondes d'insouciance, prolonger encore un peu l'incertitude.

— Bon, lâche-t-il. Les résultats de l'examen tomodensitométrique sont cohérents avec ceux des tests réalisés. L'atrophie corticale me paraît modérée, à peine plus importante qu'attendu pour un cerveau d'une soixantaine d'années. L'examen neurologique est normal, sans signe de focalisation. Il n'y a pas d'hypopallesthésie aux membres inférieurs et les réflexes ostéotendineux sont tous conservés. Sur le plan neurologique, vous êtes parfaitement orienté dans le temps. Vous semblez vous intéresser peu à l'actualité, ce qui explique pourquoi vous n'avez su me donner le nom du Premier ministre. Vous obtenez un bon score au test des mots de Dubois, en revanche vos fluences verbales sont diminuées puisque vous n'avez trouvé que vingt-quatre noms d'animaux en deux minutes. Je relève une légère apraxie constructive, mais pas d'apraxie idéatoire et idéo-motrice ou réflexive. Je n'ai pas retrouvé de manque de mot ni de paraphrasie. Il y a peu de troubles de la mémoire de type hippocampique.

Je ne saisis pas un mot. Un instant j'entends une bonne nouvelle, et la phrase suivante je suis acca-blée. Mon père semble avoir déserté, il observe les cadres sur les murs comme si nous étions au musée.

— En conclusion, poursuit le neurologue, je pense que vous souffrez de paresse cérébrale. Vous devez absolument faire travailler votre tête, suivre l'actualité, faire des mots croisés, lire. Peut-être êtes-vous dépressif, il serait intéressant d'entamer un traitement. J'enverrai un courrier à votre médecin traitant pour lui faire part de mon bilan.

Sur le parking, quelques minutes plus tard, l'air est le même qu'à l'arrivée, pourtant il y flotte une petite odeur agréable. Un neurologue spécialisé dans les troubles de la mémoire a affirmé que mon père n'était pas malade. Il ne peut pas se tromper, pas vrai ? Mon père allume une cigarette.

— Ça va, papa ?

— Maintenant, ouais. Je l'aime pas, ce médecin, il ne m'inspire pas confiance. Il a l'air franc comme un âne qui recule.

J'éclate de rire, fort, trop fort, trop longtemps. Il fait le paon, fier de lui, sans se douter que ce n'est pas son expression que j'acclame, mais mon soulagement que je crie.

Chapitre 35

La lune de miel aura été de courte durée. Le rendez-vous chez le neurologue a eu lieu il y a quelques heures à peine, et je divorce déjà de ses conclusions.

Ça ne tient pas debout. Mon père est jeune. À son âge, un manque d'entraînement cérébral ne peut pas expliquer de telles absences. Je tourne dans le lit sans parvenir à trouver le sommeil. Il y a forcément autre chose. Je le sens. Je ne me suis pas trompée, pour mon fils, quand tout le monde affirmait qu'il n'avait rien. Je m'extrais de la couette et quitte la chambre sur la pointe des pieds. Gaëtan a le sommeil lourd, je pourrais fourrer Céline Dion dans son oreille qu'il ne se réveillerait pas.

Je prends l'ordinateur portable, une cuillère et un pot de pâte à tartiner, puis je m'installe sur le canapé.

Je tape un premier symptôme et j'avale un peu de chocolat.

Alzheimer arrive en tête, rien que le nom m'écorche. Je lis les signes, j'en reconnais quelques-uns, d'autres pas. Je poursuis mes recherches et ma plongée en apnée dans le sucre quand une pathologie dont je n'ai jamais entendu parler déroule sous mes yeux sa ressemblance avec ce que vit mon père.

Démence vasculaire. Deuxième cause de démence après Alzheimer. Souvent consécutif à une hypertension non traitée. Irritabilité. Désorientation. Dépression. Difficultés d'attention. Évolution par paliers.

Je consulte des témoignages, parcours des documents médicaux et finis par refermer brutalement l'ordinateur, effrayée par la certitude qui me piétine.

Mon père est malade.

La pâte à tartiner fait preuve d'empathie et me console comme il se doit. Une fois le pot intégralement nettoyé, je rouvre l'ordinateur et clique sur ma messagerie.

Quand Charlie était en maternelle, j'avais sympathisé avec la mère d'une petite fille de sa classe : Valentine. Nos enfants s'entendaient bien, et j'aimais son humour décalé. On s'était vues quelquefois à l'extérieur, elle était même venue dîner à la maison. Elle était mère célibataire, et je me souviens m'être souvent demandé comment elle y arrivait, avec son métier chronophage. Elle était médecin gériatre dans un centre mémoire.

Je cherche son adresse dans mes mails, on en avait échangé quelques-uns. Le dernier a plus de deux ans, on s'est rapidement perdues de vue après le changement d'école de sa fille.

J'hésite. C'est délicat d'écrire à quelqu'un uniquement pour obtenir un service. Je pourrais emprunter la voie classique et prendre rendez-vous auprès de son secrétariat. Je méprise les personnes qui usent de leur réseau ou de leur influence pour doubler les autres. Sans compter le fait que je ne dois pas être la seule à la solliciter. Le frère de Gaëtan est généraliste en région parisienne, de vagues connaissances le contactent sans cesse pour prendre des nouvelles, et un petit conseil médical au passage. Je réfléchis, compare les options, mesure les conséquences, et je laisse mes mains prendre la décision pour moi.

« Chère Lucie, j'espère que tu vas bien, depuis le temps… »

Sans doute ne suis-je pas meilleure que les autres.

Chapitre 36

— Je peux mettre un tipi dans le jardin ?

La question est de plus en plus fréquente. La réponse est toujours la même, pourtant mon père paraît déçu et étonné comme s'il l'entendait pour la première fois. Alors que j'argumente, il part bouder dans sa chambre. Il est à la maison depuis ce matin, ce qui est inhabituel pour un samedi. Gaëtan s'approche de moi :

— On pourrait le laisser faire, ce n'est pas si gênant.

— Mais on ne verrait que ça depuis la route ! Les gens vont nous prendre pour des fous.

— Mais on s'en…

— C'est hors de question, Gaëtan. Ça ne se fait pas.

Mon mari n'est pas attaché au regard des autres. Pour ma part, il compte plus que le mien. Que l'on puisse penser du mal de moi me terrifie. Depuis toujours, l'approbation des gens détermine mon comportement. Je mets un point d'honneur à ne pas parler fort dans le jardin, pour ne pas gêner les voisins. Pour la même raison, je fais rentrer Geronimo dès qu'il aboie. Je suis exagérément souriante quand je salue quelqu'un. Je laisse passer les voitures coincées au stop, et, si un conducteur me remercie, c'est le 14 Juillet dans mon ventre. Je laisse passer à la caisse les personnes qui ont moins d'articles que moi. Je ne parle pas fort, je dis s'il vous plaît, merci, bonne journée, il n'est pas exclu qu'un jour je lance « je vous aime » à la boulangère. J'évite tout sujet clivant et je suis capable d'aller à l'encontre de mes idées pour approuver celles de mon interlocuteur. Je ne fais rien d'étonnant, rien qui puisse être remarqué. Je n'installe pas un tipi dans mon jardin.

J'ai immédiatement regretté l'envoi du mail à Lucie, la gériatre. J'ai ruminé une partie de la nuit, persuadée qu'elle allait croire que je l'utilisais. Elle n'aurait pas eu tout à fait tort, même si j'y ai souvent pensé, je n'ai pas pris de ses nouvelles depuis longtemps. Elle m'a répondu dès le lendemain matin, ravie de me lire, et s'est même confondue en excuses pour ne pas avoir maintenu le lien entre nous. Elle a joint une ordonnance pour une IRM et m'a fixé un rendez-vous.

Mon père revient dans le salon – la bouderie est terminée – et lance son deuxième sujet favori : le cerisier. Les merles sont devenus son obsession, il en voit partout. J'ai mentionné ce point-là au neurologue, peut-être a-t-il cru que c'était un trait de caractère habituel.

— J'espère que ces cons de merles vont comprendre, cette fois.

Je n'aime pas ce genre de phrases.

— Qu'est-ce que tu as fait, papa ?

— Tu n'as pas vu mon œuvre ?

Je n'aime pas cet air triomphant non plus. Gaëtan s'approche de nous, le radar en alerte. Je réponds par la négative, mon père nous invite à le suivre. Il marche la tête haute, le menton conquérant, ouvre la porte d'entrée et débouche dans le jardin.

— Tadaaaam !

Ses deux bras sont tendus vers l'objet de sa fierté. Il a dû l'installer dans la matinée, alors qu'on dormait encore. Il n'y était pas hier soir, je l'aurais forcément remarqué en rentrant du travail.

On ne peut pas le louper.

Notre maison fait partie d'un lotissement composé d'une centaine de logements. Pour y entrer ou en sortir, il faut passer devant chez nous. Ça fait beaucoup de gens à l'heure. Je n'ose imaginer combien ont vu la dernière création de mon père. Un épouvantail, à ce qu'il dit. J'ai beau le scruter en espérant y voir autre chose que la réalité, je dois me rendre à l'évidence. Au sommet de notre cerisier nu se balance au gré du vent une poupée gonflable vêtue d'une chemise à carreaux rouges et d'un chapeau de paille, dont la bouche grande ouverte pourrait accueillir toute une nichée de merles.

Chapitre 37

Mon père vient courir avec moi une fois par semaine. Il marche la plupart du temps, mais s'élance de plus en plus souvent en petites foulées. Ses poumons le rappellent vite à la raison, et, eux, il les écoute. Pour se féliciter de ses progrès, il se grille régulièrement une clope.

J'étais dépitée la deuxième fois qu'il m'a suivie. La course est le seul moment où je suis ma seule compagnie, c'est devenu vital. Avec lui, je dois refréner mon allure et faire la conversation. Pourtant, la troisième fois, c'est moi qui le lui ai proposé. Au pas de course, sur les trottoirs déserts, je touche du doigt la complicité qui nous unissait quand il était mon monde.

— On courait souvent, avec ta mère, fait-il alors que nous nous apprêtons à rentrer.

La surprise me rend muette. Tant mieux, le son de ma voix suffirait sans doute à briser cette confidence rare. Ma mère est celle-dont-on-ne-parle-pas.

— Elle était meilleure que moi, poursuit-il, elle avait les jambes musclées par des années de danse, et moi j'avais mes guiboles de canari. Mais je la suivais vaillamment, on s'en tapait, des kilomètres ! Elle a arrêté quand elle est tombée enceinte de toi, le médecin lui avait dit qu'il valait mieux s'économiser. Il n'a pas fallu le lui dire deux fois ! Je me suis mis à préparer les repas et à faire le ménage. On ne bouffait que des pâtes et du riz, et la plupart du temps j'arrivais à les louper. Elle était indulgente, elle dévorait tout.

Il se réfugie quelques instants dans ses pensées.

— Je me demande si elle va bien.

— Je crois que oui. Je ne savais pas que vous aviez couru ensemble, c'est drôle de vous imaginer avant ma naissance.

Il ralentit et allume une cigarette :

— On a repris après ta naissance, ta grand-mère te gardait. Après, on s'est mis au vélo, on avait installé un siège sur le porte-bagages, tu adorais ça. Tu pleurais chaque fois qu'on s'arrêtait à un feu. Tu avais besoin que ça bouge tout le temps, on disait que tu serais une voyageuse. Elle est à la retraite ?

— Oui, depuis trois ans.

— Toujours mariée avec l'autre ?

Il n'a jamais prononcé le prénom de José.

— Oui.

On arrive dans le lotissement. Une voiture est garée à cheval sur le trottoir, mon père râle. Je tente de le ramener vers les confidences sur notre vie passée :

— Elle s'est mise à la natation synchronisée, elle a l'air d'aimer ça.

— Qui ?

— Maman.

Son visage se ferme. La conversation aussi.

Comme d'habitude, la voiture de monsieur Colin est collée contre notre portail, il nous faut nous contorsionner pour rentrer dans le jardin. Mon père glisse son mégot éteint sous l'essuie-glace. Il se dirige directement dans sa chambre et referme derrière lui. Quelques minutes plus tard, j'entends les premières notes de « Why Did You Go » se faufiler sous la porte.

Chapitre 38

Il est six heures du matin, je suis la première levée. Je n'ai pas allumé la lumière, je traverse le salon dans la pénombre pour laisser mes yeux dormir encore un instant. Un concerto en ronflement mineur me parvient de la chambre de mon père sans que je parvienne à identifier le ténor : Geronimo ou son maître ? L'un et l'autre possèdent la même aptitude à faire trembler les murs, et mon cher mari a sous-entendu que c'était héréditaire (mais je suppose qu'il parlait du chien).

Je suis presque arrivée dans la cuisine quand un objet non identifié se jette sur mes pieds et envoie mon petit orteil dans l'au-delà. Je hurle, mais la chose revient à l'assaut. Les hypothèses se télescopent dans ma tête : est-ce un rat ? un cambrioleur ? un tueur en série ? un vendeur de vérandas ? N'écoutant que mon courage, je bondis sur l'interrupteur en poussant des cris de mouette. Mon père me surprend en plein vol, je retombe au sol avec la grâce d'un parpaing. La lumière de la chambre éclaire suffisamment le salon pour me permettre d'identifier l'assaillant : c'est un robot aspirateur rond qui se déplace seul dans la pièce.

— On peut pas dormir tranquille ici ?

— Bonjour papa, ravie de te voir de bonne humeur. Je suppose que ceci t'appartient ?

Je désigne l'appareil, il approuve :

— Je l'ai appelé Henri, on dirait mon chef de l'usine, toujours à tourner en rond. C'était une bonne affaire, et ils offraient un agenda avec.

Ce n'est pas le moment, mon corps est encore en train de roupiller et mon cerveau est au point mort, mais je saisis l'occasion pour aborder un sujet important. Ces dernières semaines, la chambre de mon père s'est transformée en une annexe du téléachat. Des cartons jamais ouverts s'empilent jusqu'au plafond, il a même commencé à coloniser le garage. Le même phénomène se produit quand il fait les courses : il achète chaque article en plusieurs exemplaires.

— Papa, tu as regardé tes comptes récemment ?

Il hausse les épaules :

— Pour quoi faire ?

— Je sais que ça ne me regarde pas, c'est un peu délicat de t'en parler, mais je me demande si tu as les moyens d'acheter tout ça.

— T'inquiète pas, Microbe, je ne dépense pas beaucoup. Juste le nécessaire. Avec ma retraite de misère, je ne peux pas me permettre des folies. Le tabac, l'essence, la bouffe, les factures et basta.

— Mais… et tout ce que tu commandes au téléachat ?

Son regard me lâche et se perd quelques instants dans le vide.

— Ils ont mon numéro de carte, c'est pratique.

Il y a quelque temps, j'aurais pu croire qu'il répondait à côté volontairement, pour que je lui foute la paix. Mais il ne joue pas : il est réellement perdu. C'est la première fois que je remarque qu'il perd le fil d'une conversation. J'ai l'impression que la maladie, quelle qu'elle soit, galope, qu'elle grignote chaque jour un nouveau bout de son cerveau. Les symptômes s'accumulent à une vitesse folle. Je ne comprends pas que personne ne s'en rende compte.

Je voudrais lui foutre la paix, le laisser retourner se coucher, ne pas avoir à le confronter au pénible, mais la situation ne peut pas continuer. J'ai effectué un virement sur son compte pour rembourser son découvert, et notre compte à nous accuse le coup. Je ne pourrai pas l'aider une nouvelle fois.

— Papa, j'ai peur que tu dépenses un peu trop. Je sais que tu n'aimes pas trop faire tes comptes, si tu veux je peux m'en occuper pour toi ? Je pourrais te dire quand ça devient dangereux.

— Si tu veux. Je retourne me coucher, bonne nuit, Microbe.

Il n'a pas hésité, pas même bougonné pour la forme. Je m'attendais à tout, sauf à ce que ce soit aussi facile. L'aspirateur poursuit sa tâche, imperturbable, comme si nous ne venions pas d'entrer dans une nouvelle ère. On y est. Mon père, cet esprit libre et indépendant, a besoin de quelqu'un pour vivre.

Chapitre 39

— Alors, il part quand, le boulet ?

C'est immuable : les déjeuners avec ma mère commencent toujours par une petite taloche à mon père. Je lui dresse un rapide résumé de la situation. Les travaux ont commencé, la maison devrait être de nouveau habitable d'ici quatre à cinq mois.

— Sa présence est devenue normale, contrairement à ce que je redoutais il est respectueux et plutôt discret. Et il s'entend tellement bien avec Charlie !

Mon enthousiasme ne lui va pas au teint. Elle tord la bouche :

— Il a de la chance de voir son petit-fils, moi je ne l'ai pas vu depuis des siècles.

— Maman… tu l'as gardé samedi dernier.

Je la vois refouler ses larmes :

— Je trouve ça injuste, c'est tout.

Elle n'a pas besoin d'en dire plus, je sais ce qu'elle ressent. Elle s'est confiée à ma sœur, qui m'a raconté – ses confidences se font souvent par personne interposée. Ma mère a toujours été plus présente que mon père dans notre vie. À compter du divorce, elle nous a élevées sans lui, a fait face à nos périodes compliquées et accompagné les autres. Elle considère être plus légitime pour récolter les fruits devenus mûrs.

Je lui caresse la main et la rassure. Charlie est fou de sa grand-mère, et son maillot jaune n'est pas menacé par mon père.

— Je ne peux même plus passer vous voir, j'ai peur de tomber sur lui.

— C'est provisoire. Bientôt, tout redeviendra comme avant.

— Je l'ai aimé, tu sais.

— José ?

Elle me fait les gros yeux :

— Non, ton père !

La révélation est si inattendue que mon cerveau a refusé l'obstacle. En près de trente ans, c'est la première phrase non négative à l'égard de mon père. Je la dévisage, j'ai peur que sa langue se désintègre. Mais elle poursuit :

— Il était tellement drôle, qu'est-ce qu'on a pu rire tous les deux ! C'est vraiment son humour qui m'a séduite, et puis c'était un beau garçon, avec sa longue silhouette et ses cheveux bouclés. Mais ce qui m'a fait devenir dingue de lui, c'est sa sensibilité. C'était un écorché, il s'imprégnait de toute la souffrance qui passait dans son périmètre. Toujours à vouloir aider la veuve et l'orphelin, mais c'était autre chose avec sa propre famille. Il a eu une enfance très difficile, je le sais, même s'il en parlait peu. Peut-être qu'il se protégeait en ne s'impliquant pas trop avec nous, je ne sais pas. Je crois que les personnes les plus égoïstes sont les plus fragiles. Quand on ne peut pas encaisser les émotions, on les coupe.

Je dois ressembler à un lapin pris dans des phares, parce qu'elle s'interrompt et se ressaisit :

— Il a tout gâché. J'ai cru que c'était pour la vie, je ne sais pas combien de fois je lui ai pardonné. Je pense qu'il n'y a pas une femme sur cette planète avec qui il ne m'a pas trompée. Ce n'était pas un homme, c'était un marteau-piqueur.

Je refuse de visualiser.

— José est très différent, poursuit-elle, il m'a redonné confiance en l'autre, et surtout en moi. C'est terrible d'avoir l'impression de ne pas plaire à la personne qu'on aime. Pas suffisamment pour qu'il s'en contente, en tout cas. Bref, je ne sais pas pourquoi je te raconte tout ça. On est dans une période compliquée, avec José, le passé remonte.

Elle fait signe au serveur et commande un verre de vin. J'en prends un aussi.

Je n'ai que quelques souvenirs de mes parents ensemble, et ils sont tous heureux. C'est ma mère qui m'a annoncé leur séparation, on a mis les voiles le jour même. Le ciel m'est tombé sur la tête, je n'avais jamais imaginé que leur couple puisse ne plus exister un jour, ni même soupçonné une quelconque fragilité. Elle avait réussi à nous faire croire aux faux-semblants, pour nous protéger. Pendant longtemps, j'ai espéré qu'ils se réconcilient en me passant en boucle les images du bon temps. Aujourd'hui, les imaginer ensemble ressemble à un mauvais rêve.

— Ça va si mal que ça avec José ?

Ma mère presse ses mains l'une contre l'autre :

— Je ne sais pas. Je m'ennuie profondément. Je m'arrange pour passer mes journées à l'extérieur, je m'en suis rendu compte récemment. Je n'ai pas envie de rentrer le soir, j'en ai une boule dans le ventre. Je sais que je vais le trouver avachi sur son fauteuil, en train de lire ou de regarder la télé. Il est gentil, toujours aux petits soins, mais, quand je suis avec lui, je ressens un vide abyssal.

Ses yeux débordent. Je me lève, fais le tour de la table et me baisse pour l'enlacer. Ma mère n'a pas le chagrin démonstratif. Elle manie à la perfection l'art de l'illusion et le sourire de façade. J'ai beau la connaître, je me fais souvent avoir. La voir craquer au milieu d'un restaurant bondé est alarmant.

Elle tapote ses yeux, puis mon bras, pour me faire comprendre que je peux retourner m'asseoir. Il ne faudrait pas attirer l'attention.

— Tu vas quitter José ?

— Jamais de la vie ! Il ne mérite pas ça, le pauvre.

— Tu préfères être malheureuse ?

Elle hausse les épaules :

— Je ne le suis pas. C'est juste un passage, c'est inévitable après presque trente ans de mariage, tu connaîtras ça aussi. Depuis qu'on est à la retraite, c'est plus difficile. Mais j'ai des tonnes d'activités, je vois des gens toute la journée, ce n'est pas bien grave si je m'ennuie un peu le soir. Allez, parlons d'autre chose !

— Maman, tu en aimes un autre ?

Elle écarquille les yeux. Ses paupières sont tachées de mascara.

— Juliane ! Je n'ai pas d'amant, je ne sais pas ce que tu as cru. C'était juste une petite faiblesse.

La petite faiblesse en question est, me confie-t-elle, un homme rencontré dans son cours de yoga. Dynamique, voyageur, sportif, tout ce qui lui manque chez José. Elle a été tentée, son corps a retrouvé des sensations engourdies, ses rêves ont accueilli ce nouveau personnage, mais elle n'a pas succombé.

— Je ne ferai pas subir cette torture à José.

J'écoute ses confidences en mesurant leur caractère exceptionnel. Je sais quel effort ça lui demande, de dévoiler ses failles. Si elle savait à quel point je la trouve forte, avec ses fissures apparentes.

On se sépare comme à notre habitude, à l'angle de la rue. On s'embrasse, elle ajuste le col de ma chemise, puis s'éloigne d'un pas vif, en serrant contre elle son sac et ses secrets de femme.

Chapitre 40

La journée a été rude. J'ai bouclé le dossier de reconnaissance de handicap de Charlie. Tous les spécialistes qui le suivent ont rempli leur partie, j'ai fourni les documents demandés et joint un courrier explicatif. Pour couronner cette journée que l'on peut qualifier de pourrie, mon père m'a appelée deux fois pour me dire qu'il avait perdu sa carte Vitale. Sur le chemin du retour de l'école, alors que Charlie est plongé dans ses pensées, je n'ai qu'une envie : rentrer et manger des frites.

— Maman, dit la petite voix à l'arrière de la voiture, je m'ai fait gronder tout à l'heure par la maîtresse.

— On dit « je *me suis* fait gronder », chéri. Pour quelle raison ?

— J'ai monté en haut de l'arbre, mais c'est pas ma faute, c'était Lucas qui m'a dit.

Je m'engage dans un laïus sur les règles à suivre et les copains à ne pas toujours suivre. Je m'entends souvent utiliser les mêmes arguments que mes parents, à l'époque où j'étais celle qui grimpait aux arbres. J'écoutais alors d'une oreille les « et si tes copains te disent de sauter d'un pont, tu vas le faire ? », « on s'en fiche des autres, là on parle de toi », « qu'est-ce qu'on dit ? », « c'est Versailles ici ? », sans me douter que la parentalité était un éternel recommencement.

Mon père n'est pas encore rentré, sa voiture n'est pas devant chez monsieur Colin. Ce dernier est absent aussi, notre portail est accessible. À peine ai-je ouvert ma portière qu'une odeur pestilentielle assaille mes narines. Charlie se bouche le nez et court vers la maison, je ne tarde pas à l'imiter.

À l'intérieur, l'air est plus respirable, mais la puanteur n'a pas disparu. J'allume des bougies parfumées partout dans la maison et je tente de me concentrer sur les devoirs de Charlie, mais tous mes sens sont agglutinés dans mon nez. Au bout d'une heure, je me décide à téléphoner à la police municipale. Ils ont reçu un autre appel à ce sujet, mais n'ont aucune information quant à la provenance du désagrément. Le suspense est aussi insoutenable que l'odeur.

Je suis à deux doigts de m'enfoncer des boules Quies dans les narines quand on frappe à la porte. Mon aimable voisin se tient sur mon palier, et sa mine est une mise en bouche de ce qui m'attend.

En guise de salutation, il me postillonne au visage :

— Vous avez décidé de nous pourrir la vie ?

Ma courtoisie, déjà mise à mal par les relents, perd encore en vitalité :

— Monsieur Colin, que puis-je pour vous ?

— Vous ne sentez rien ?

Je renifle ostensiblement l'air :

— Non. Je devrais sentir quelque chose ?

— Vous vous fichez de moi ?

— Bien sûr que je sens l'odeur infecte, je vous signale que j'ai un nez, comme vous.

Manifestement, mon sens de la répartie est également affecté. Le sifflement des freins de la voiture de mon père se fait entendre, et il apparaît dans notre champ de vision, avant de reculer pour se garer à sa place habituelle.

Il avance vers nous de sa démarche nonchalante, cigarette éteinte coincée entre les lèvres, Geronimo dans son sillage. Il salue monsieur Colin d'un signe de tête et m'adresse un clin d'œil :

— Tu pactises avec l'ennemi, Microbe ?

— C'est vous qui avez accroché ces choses ?

Le voisin tend un doigt rageur vers le cerisier. Il me faut plusieurs secondes pour distinguer des formes sombres suspendues aux branches.

— Affirmatif, répond crânement mon père. Du hareng fumé, pour vous servir.

— Papa, pourquoi t'as mis des poissons dans l'arbre ?

— J'ai vu à la télé que c'était une technique efficace pour éloigner les merles. Ils supportent pas l'odeur.

— C'est mon odorat que tu vas éloigner.

— Vous êtes complètement fou, lâche le voisin.

Mon père ricane :

— Vous êtes vexé, vous auriez préféré que j'accroche du colin. Promis, la prochaine fois je vous rends hommage.

— Vous voyez bien que ce n'est pas encore la saison des cerises ! On est en avril, il n'y en aura pas avant un mois ou deux. Vous le voyez bien, bon sang !

Mon père fronce les sourcils et balaie le cerisier du regard. On pourrait croire qu'il cherche à apercevoir des fruits pour clouer le bec de son ennemi. Mais il y a ce détail au fond des yeux, presque imperceptible, une sorte de flottement, d'hésitation, comme une présence vaguement absente. Je le saisis par le bras et l'entraîne à l'intérieur de la maison en promettant à monsieur Colin de débarrasser l'arbre de ses ornements dans la soirée. Charlie court vers son grand-père et le serre dans ses petits bras. Je parcours les quelques mètres qui me séparent d'eux et je fais exactement la même chose.

Chapitre 41

— Je vais fumer une clope.

Mon père se lève et me laisse seule dans la salle d'attente. Il y a encore deux personnes avant nous, la secrétaire nous a avertis du retard. Cette fois, il m'a demandé si je pouvais l'accompagner. J'ai posé un jour de congé, et on en a profité pour déjeuner ensemble dans une brasserie proche de la clinique. Je me suis demandé depuis quand je n'avais pas partagé ce genre de moment avec lui, et la réponse s'est vite imposée : depuis toujours. Je n'ai jamais mangé en tête à tête avec mon père au restaurant. Je ne suis jamais allée me balader seule avec lui, faire les magasins, à la piscine, à la plage, au cinéma, au théâtre, à un concert, au musée, en vacances. On se voit chez moi ou chez lui. L'idée de l'appeler pour lui proposer un moment à deux, en dehors d'une occasion spéciale, ne m'a jamais effleurée. C'est le problème des habitudes, elles ne se remettent en question que quand elles sont bousculées.

Il n'y a aucun magazine, vestige de la pandémie dont la planète est sortie récemment. Je tue le temps en relisant le dossier médical de mon père. Les minutes s'évanouissent, et il ne revient pas. Son sac est resté sur sa chaise, avec son téléphone dedans, je ne peux pas le joindre. La dernière personne avant lui est appelée, son tour est le prochain. Je demande à la secrétaire si elle peut surveiller nos affaires et pars à sa recherche. Je ne le trouve pas dehors, ni à la machine à café, je cours presque, il peut être partout dans ce dédale d'artères blanches.

Sa silhouette dégingandée finit par surgir au détour d'un couloir. Je ne peux pas le louper : il porte son bonnet fétiche, affublé de deux oreilles de chat. Il déambule d'un pas tranquille en regardant autour de lui. Monsieur admire le paysage. Je me précipite vers lui en lui criant de se dépêcher, qu'on va être en retard, qu'il ne pourra pas passer son examen, j'ai l'impression d'être un petit chien aux mollets d'un cycliste.

— Je ne retrouvais plus la salle d'attente, dit-il. C'est mal foutu, ce truc.

— Marche plus vite, papa.

— Calme-toi, Microbe, tu vas te déboîter le coccyx.

On arrive juste à temps, l'infirmière emmène mon père et il disparaît derrière des portes battantes.

Une heure plus tard, je tiens l'avenir de mon père entre mes mains, inscrit à l'encre noire sur une feuille volante. Comme pour le scanner, les résultats nous ont été donnés sans explication. On offre le saut, mais on n'amortit pas la chute. Mais, contrairement à la dernière fois, mon père s'intéresse aux résultats.

Les structures médianes sont en place.

Pas d'anomalie morphologique décelable ni d'anomalie du système ventrico-cisternal, en dehors de l'existence d'une asymétrie de taille des ventricules latéraux au profit du ventricule latéral droit.

Discret élargissement du système ventriculaire et des sillons corticaux.

Il n'y a pas d'argument IRM pour une éventuelle atrophie hippocampique avec un grade 0-1 bilatéral dans l'échelle Scheltens.

Pas d'argument IRM pour un AVC ischémique récent, semi-récent ou ancien.

Multiples lésions punctiformes en hypersignal FLAIR de la substance blanche profonde et périventriculaire et de façon plus marquée de la région médio-protubérantielle, en rapport avec des lésions de micro-angiopathie cérébrale.

Je lis à voix haute, écorchant les termes barbares, ce qui a le mérite de faire rire mon père.

— C'est chiant, on s'en va ?

Il enfile son bonnet sur son crâne et, sans attendre ma réponse, se dirige vers le parking. Je range le document dans le dossier vert et le rejoins au pas de course, en me promettant de ne pas aller consulter docteur Internet.

PARTIE 4

La dépression

Chapitre 42

— Adèle, c'est très grave.

Je profite de l'absence de mon père pour appeler ma sœur en ayant la certitude qu'il ne viendra pas s'incruster dans la conversation. La nuit qui a suivi l'IRM a été peuplée d'idées noires. À la peur de perdre mon père s'ajoute le regret de ne pas avoir profité de lui davantage, quand il était encore Jean. Je le vois s'effacer petit à petit, devenir un autre que lui. Le processus est irrémédiable, je le sais, je le pressens, j'y assiste impuissante, je voudrais le clouer dans le présent, fermer la porte à demain, mais je dois juste l'accepter.

J'ai fini par me lever, en pleine nuit, ça va devenir une habitude. J'ai tourné autour de l'ordinateur en tentant de respecter la promesse que je m'étais faite, mais j'ai préféré me trahir que ne pas savoir. Ce que j'ai lu a renforcé mes craintes, les lésions de micro-angiopathie cérébrale étant parfois le point de départ des démences vasculaires.

Mon père est sorti de sa chambre au moment où je hoquetais en silence sur le canapé.

— Je vais faire pleurer le monstre, m'a-t-il dit en se dirigeant vers les toilettes.

J'ai ri dans mes larmes, ça a fait des bulles. Il n'a rien vu, ou alors a bien joué celui qui ne voyait rien.

Je raconte tout ça à ma sœur, j'ai bien conscience que mes propos partent dans tous les sens, c'est un feu d'artifice de pensées que je tire comme un SOS.

— Calme-toi, Juliane, ça va aller. Tu ne crois pas que ton amie gériatre t'aurait appelée, si ça avait été si grave ?

Son argument me rassure, mais j'en suis à un point où la parole d'un inconnu pourrait m'apaiser. Je vais jusqu'à traquer l'espoir dans des petits signes, à demander au sort de me réconforter. Hier, j'ai promis de ne plus angoisser si le feu passait au vert dans les dix secondes. J'ai gagné, car je n'avais pas précisé la durée de chaque seconde.

— Adèle, j'ai l'impression que ça progresse vite. C'est comme si ça s'était accéléré depuis qu'on s'en est aperçus. Ça fait quelques jours qu'il branche son téléphone en permanence. Hier, il paniquait parce qu'il ne trouvait pas son chargeur, j'ai vérifié, la batterie de son téléphone était à 80 %. Je lui ai expliqué qu'il était presque plein, qu'il pouvait attendre pour le charger, mais il n'en démordait pas, il affirmait qu'il allait s'éteindre, qu'il se vidait vite. Je voyais qu'il essayait de comprendre ce que je lui disais, mais il n'y arrivait pas.

— Ça doit être dur pour toi. Et Charlie, comment il réagit ?

— Il ne s'en rend pas trop compte. Il remarque juste que papa est toujours en train de chercher quelque chose. Il lui dit : « Papy, tu vas perdre ta tête un jour ! », ça les fait marrer.

Ma voix s'étrangle en imaginant Charlie privé de son grand-père adoré :

— Je m'en veux tellement de ne pas lui avoir parlé pendant des mois. On a perdu du temps.

— Tu ne pouvais pas savoir, Juju. Il vit chez toi depuis plus de quatre mois, vous vous êtes largement rattrapés. Je vais venir le voir, moi aussi. On n'a plus le temps de repousser les projets. C'est quand, le rendez-vous chez la gériatre ?

— Dans deux semaines.

— OK. Prépare le canapé-lit, je serai là.

Chapitre 43

J'attendais la pause déjeuner en comptant
les secondes. Je m'arrête au fast-food, je commande un menu XL, un sandwich supplémentaire et une glace en dessert. Au dernier
moment, j'ajoute des nuggets et des potatoes.
En passant à la caisse, j'affirme dans un sourire
que mon fils m'attend à la maison. Je ne voudrais pas que la jeune fille puisse penser que
tout est pour moi.

Je tourne sur le parking du centre commercial
jusqu'à trouver une place à l'écart des autres voitures. Je me gare, recule le siège, ouvre le bouton
de mon jean et commence mon festin.

Le plaisir est intense mais bref. Au bout de
quelques bouchées à peine, je déborde, mais
je continue. Je sais que je vais le payer, avoir
mal au ventre pendant des heures, la nausée,
sans compter la culpabilité. Je vais me trouver
faible, lâche, sans volonté. Je sais que je vais le

regretter, mais ça ne suffit pas à me faire renoncer au réconfort immédiat que m'apporte la nourriture. Je ne reprends pas mon souffle entre deux bouchées, je mâche à peine, je ne mange pas, j'avale, j'engloutis, je dévore, je me remplis, je m'étouffe.

Je bouffe mes émotions. Je mastique mes chagrins, j'engouffre mes angoisses, j'ingurgite mes joies.

Il ne reste que la glace. Je regrette de ne pas avoir apprécié davantage, c'est passé vite.

C'est fréquent, ces derniers temps. C'est par périodes, depuis toujours. La première fois, j'avais dix-huit ans. C'était après mon premier régime. Pendant trois semaines, je me suis nourrie exclusivement de sachets protéinés. Le garçon que j'aimais me trouvait trop grosse, et j'étais assez d'accord avec lui. J'ai perdu cinq kilos, et toute confiance en moi.

À la maison, j'évite les tentations. J'achète de la nourriture équilibrée et je prends le temps de cuisiner. Il existe bien un placard interdit, qui contient les gourmandises pour Charlie, que je ne veux pas priver. Il m'arrive de succomber, mais, le plus souvent, je tiens bon. Ça me demande un effort. Ce n'est pas naturel. Ma relation à la nourriture n'est pas naturelle. Je suis dans le contrôle absolu ou dans l'excès, il n'y a pas d'équilibre. Je mange des légumes pour aller bien, je bouffe des frites pour aller mieux.

La glace est terminée. Je racle le fond du pot, il ne reste plus que des cadavres d'emballages et un infini dégoût. Je rassemble les déchets et les fais disparaître dans une poubelle. J'attrape mon téléphone dans mon sac et, comme chaque midi, j'appelle Gaëtan. J'ai hâte de lui raconter à quel point ma salade était délicieuse.

Chapitre 44

Mon père a récupéré une vieille guitare électrique à la déchetterie. Depuis une heure, la maison s'est transformée en un concert de débutants : Charlie à la guitare sèche, mon père sur l'électrique, et Gaëtan qui tape le rythme sur des boîtes en carton. Parfois, l'un d'entre eux se croit obligé de pousser la chansonnette, et j'ai beau y mettre de la bonne volonté, j'ai envie de me crever les tympans avec une flûte. Geronimo n'a même pas osé sortir de la chambre.

Malgré le bruit, je savoure la tranquillité de ce dimanche en famille, qui contraste avec la journée d'hier. J'étais en train de faire les courses, les bras chargés et le téléphone caché au fond de mon sac, quand mon père m'a appelée.

— J'ai eu un accident, Microbe, a-t-il lancé comme s'il m'annonçait qu'il venait de manger une pomme.

Pendant que j'essayais de maîtriser mon rythme cardiaque, il m'a expliqué qu'il allait bien, qu'il n'y avait aucun blessé, mais que ça risquait de ne pas durer.

— Pourquoi ? ai-je demandé naïvement.

— Parce que l'autre gugusse veut que je prenne tous les torts à ma charge sur le constat.

Je lui ai donc demandé de me décrire les circonstances exactes de l'accrochage.

— Eh ben, j'ai reculé, et BIM ! Il m'a foncé dedans.

J'entends une voix d'homme hurler que son véhicule était à l'arrêt, que c'est lui qui l'a embouti. Je demande des précisions, et je ne suis pas déçue quand il me les donne :

— S'il ne s'était pas garé là, je ne lui aurais pas foncé dedans.

— Où était-il garé, papa ?

— Sur une place de parking.

J'ai rapidement compris qu'il se trouvait devant le supermarché où j'étais en train de faire les courses, je les ai donc rejoints. Il m'a fallu du temps, et beaucoup de patience, pour que mon père consente à admettre qu'il était le seul fautif.

— J'avais pas vu, a-t-il fini par marmonner. Quelle connerie aussi, d'avoir une voiture sombre, on distingue mieux les couleurs vives.

Je lui ai proposé d'envoyer un courrier aux constructeurs automobiles, l'idée a eu l'air de lui plaire.

Je ne l'ai jamais connu agressif. Cynique, taquin tout au plus, mais jamais brutal. Il l'est de plus en plus. Sur la défensive, voire carrément parano. Dernièrement, il a été odieux sur Facebook avec un de ses anciens collègues, car il s'est déconnecté au moment où il venait d'arriver. Il lui a envoyé un message accusateur : « Visiblement on n'est plus potes, tant pis, bye. » Il était encore énervé quand il m'a raconté l'incident le lendemain. J'ai eu beau lui expliquer que son collègue n'avait pas dû faire attention, que c'était sans doute une coïncidence, que personne ne regardait qui était en ligne, qu'il n'avait aucune raison de le fuir, il n'en a pas démordu. « C'est un hypocrite, c'est tout », a-t-il conclu.

C'est terrible de le voir se transformer. Difficile de savoir ce qui est de l'ordre du caractère et ce qui est un symptôme. Mais le plus tragique, pour moi, c'est de prendre conscience de ses qualités seulement aujourd'hui, alors qu'elles s'évaporent.

Je ne me suis jamais dit que mon père était altruiste, et pourtant. Il aimait les rencontres, les sourires envoyés en se croisant dans la rue, les mots échangés à la caisse d'un magasin, les longues discussions avec des usagers de la déchetterie, les repas improvisés avec des copains. Il aimait découvrir de nouvelles personnes de tous horizons, il ne s'encombrait pas d'a priori et accueillait dans son entourage un panaché d'humains.

Il essayait de comprendre, trouvait toujours une bonne raison à ceux qui n'agissaient pas comme il l'aurait fait. Il avait la rancune fugace. Il aimait les gens, dans leurs imperfections, dans leur vérité. Il ne leur cherchait pas des noises pour une place de stationnement. C'est déchirant de conjuguer son père à l'imparfait.

— Maman, tu viens faire de la musique avec nous ?

— Bonne idée ! renchérit Gaëtan. Tu pourrais chanter.

— Arrêtez, il fait beau, lance mon père.

Je secoue la tête en riant, il vaut mieux que je m'abstienne, je chante comme une mobylette. Charlie insiste, il veut que je me joigne au groupe, mon père m'envoie dans sa chambre chercher un harmonica, je finis par céder.

J'ouvre la porte et je ne vois pas le foutoir. Mes yeux ne peuvent se détacher de la masse brune gisant au pied du lit. Je comprends immédiatement que Geronimo ne respire plus.

Chapitre 45

Je n'ai vu mon père pleurer que trois fois.

La première, je devais avoir vingt ans, son premier chien, Kooki, venait de mourir. Il l'avait adopté à la SPA après le départ de ma mère. Il l'a enterré au fond de son jardin. Le lendemain, il est allé en adopter un autre. Encore un boxer, une femelle cette fois. Elle avait quatre ans, elle n'avait pas de nom connu, il l'a appelée Plume.

La deuxième fois, c'est quand Plume est partie. Elle est allée rejoindre Kooki sous le grand sapin. Il a façonné des croix dans du bois et gravé leur nom dessus. Le lendemain, il est retourné à la SPA. Il a eu de la chance : un chien de sa race chérie venait d'arriver. Il a dû attendre plusieurs jours, pour s'assurer que personne ne viendrait le récupérer, puis pour qu'il soit stérilisé. Le pauvre animal avait une moitié d'oreille coupée. D'après les gens du refuge, c'était une méthode utilisée quand les anciens maîtres ne voulaient pas être retrouvés grâce au tatouage.

Il l'a appelé Geronimo. C'est le troisième grand chagrin de sa vie.

Les chiens de mon père n'en sont pas. Ils sont ses compagnons de vie. Dans sa maison, seuls les voix des chanteurs de rock et le cliquetis des griffes sur le carrelage lui donnaient l'illusion de ne pas être seul.

Hier, quand je suis ressortie blafarde de sa chambre, mon père s'y est précipité. Il avait compris. Geronimo avait douze ans, un bel âge pour un boxer. J'ai refermé la porte sur sa souffrance, mais ses sanglots l'ont traversée.

Il a emmené son chien dans une couverture, sans doute à l'ombre du grand sapin. Il est rentré tard, on était couchés quand j'ai entendu ses pas dans le salon. Ce matin, je lui ai apporté le petit-déjeuner au lit, il a grogné qu'il n'était pas mourant, mais il n'en a pas laissé une miette. Il est parti tout de suite après.

J'ai préparé un risotto aux asperges, son plat préféré, et Charlie lui a fait un dessin représentant un chien. Gaëtan a affirmé que son cheval était très réussi, ce qui nous a valu un fou rire bienvenu.

À dix-neuf heures, je lui envoie un message pour savoir s'il rentre dîner.

À vingt heures, n'ayant pas de réponse, je l'appelle. Sa messagerie m'accueille : « Oui, bonjour, c'est Jean, ne laissez pas de message, je ne les écoute pas. Ciao ! »

À vingt heures quinze, je cherche le nom de famille de ses amis sur Facebook, je trouve celui de Babeth, qui a la bonne idée d'apparaître dans l'annuaire en ligne. Je tombe encore sur une messagerie : « Ici Babeth, je suis disponible, mais j'ai pas envie de parler, laissez-moi un message, et je verrai si vous valez le coup. Bisous. »

Quelques semaines après le départ de ma mère, j'ai trouvé une lettre froissée dans la poubelle de mon père. Elle nous était adressée, à ma sœur et moi. Je n'ai réussi à décrypter que quelques mots, la main qui tenait le stylo était vraisemblablement engourdie de médicaments et d'alcool, mais ils avaient suffi à me faire comprendre. Je n'ai jamais osé lui en parler, je saurai jamais s'il a renoncé ou pas réussi.

Je borde Charlie en essayant de ne pas laisser transparaître mon angoisse. J'échoue manifestement, puisque mon fils me demande pourquoi on meurt et où on va après. La voix de mon père retentit dans le salon au moment où je me lance dans de tortueuses explications. Double soulagement. Je me rue hors de la chambre, Charlie se jette sur son grand-père :

— Papy ! T'étais où ?

— J'avais besoin de me retrouver un peu seul.

Il soulève mon fils dans ses bras et se tourne vers la porte d'entrée :

— Mais je me suis vite souvenu que j'aimais pas ça.

Il appuie sur la poignée et ouvre, dévoilant une chèvre attachée dans le jardin. Elle bêle en voyant mon père.

— La SPA était fermée, mais je me suis fait une nouvelle amie. Je vous présente Flèche.

Chapitre 46

Monsieur Colin frappe toujours quatre fois. Je sais que c'est lui avant d'ouvrir, ce qui me laisse le temps, tandis que je me dirige vers la porte, de me demander ce que mon père a encore fait. J'ai une imagination fertile, pourtant elle n'arrive jamais à la cheville de la réalité.

Cette fois, mon voisin ne prononce pas un mot. Il se contente de me tendre un bout de papier avant de rebrousser chemin.

J'ouvre la feuille blanche, et je comprends immédiatement.

— PAPA !

Il sort de sa chambre, l'air agacé que j'ose le déranger pendant sa séance de chants indiens. Depuis qu'il a trouvé un lot de CD au supermarché, il les écoute en alternance avec les musiques habituelles. Derrière lui, allongé sur le lit, Apache nous observe.

Mon père a rapidement compris qu'on ne pouvait pas garder la chèvre, mais il a été impossible de l'empêcher d'adopter un nouveau chien. Le seul argument valable était la maladie, qui risquait de l'empêcher un jour de s'occuper de son animal. Charlie était acquis à sa cause, et Gaëtan a plaidé en sa faveur : on ne pouvait pas prévoir l'avenir, on aviserait si la situation se présentait. J'ai préféré l'accompagner à la SPA plutôt que le confronter à la réalité.

Apache est un croisé de taille moyenne, qui a été retrouvé attaché à un poteau devant un magasin. Ils étaient des dizaines, à nous regarder passer devant leur cage, en espérant que notre choix se porterait sur eux, pourtant j'ai su dès que je l'ai vu que ce serait lui. Je ne saurais l'expliquer, mais ils se ressemblent. Il y a ce truc au fond des yeux, un détachement teinté de mélancolie, comme s'ils regardaient passer la vie sans trop s'y attacher. Il n'y a eu ni hésitation ni méfiance. Les deux cabossés se sont choisis.

— Pourquoi tu cries comme un putois, Microbe ?

Je lui montre le papier :

— Papa, dis-moi que tu n'as pas mis ça sur la voiture du voisin.

— Il était encore garé contre le portail, bougonne-t-il.

— Tu ne peux pas faire ça !

— Je vois pas pourquoi.

Gaëtan, qui ignore la teneur de la conversation, s'approche. Je lui tends la feuille blanche, il la déplie. Je m'attends à le voir tourner de l'œil, mais le traître se met à rire. Mon père jubile :

— Tu vois, c'est drôle ! J'y suis pour rien si Colin n'a pas d'humour.

Mon mari doit lire ma demande de divorce dans mes yeux, il tente de se rattraper :

— C'est drôle, mais ça ne se fait pas.

— Je te préfère sans ton costume de fayot, réplique mon père.

J'ai l'impression d'être une maîtresse d'école face à deux élèves indisciplinés quand je commence à leur expliquer en quoi laisser un tel mot sur un pare-brise est déplacé. Je leur offre une petite leçon de sexisme, de délicatesse et de bienveillance, l'un écoute attentivement, l'autre lève les yeux au ciel et bâille ostensiblement.

Chacun finit par reprendre ses activités, non sans avoir promis de ne jamais recommencer.

Je sors dans le jardin pour faire brûler le papier de la discorde. Charlie ne doit pas le trouver. Quelle explication valable pourrais-je lui donner ? Je le lis une dernière fois, pour m'assurer que je n'ai pas rêvé, et je ne peux m'empêcher de lâcher un petit rire nerveux.

« SI VOUS FAITES L'AMOUR AUSSI BIEN QUE VOUS GAREZ VOTRE VOITURE,
NE VOUS ÉTONNEZ PAS D'ÊTRE COCU. »

Chapitre 47

Finalement, on marche. Mon père a renoncé à courir après une crampe au mollet, décrétant que le sport était une invention de masochistes en mal de sensations. On attaque lentement, à la limite de l'immobilité, et, petit à petit, on augmente le rythme. Dès que je tente une accélération, il me demande pourquoi je veux le tuer. Je me plie à sa cadence, cette sortie est moins une activité physique qu'un moment avec lui.

Je m'engouffre dans chaque occasion pour profiter de lui. La marche est sans doute mon occasion favorite : comme si le mouvement de ses jambes déliait sa langue, il n'est jamais plus loquace que pendant qu'on avance côte à côte. Son sujet du soir est la musique :

— Au niveau de la voix, personne ne détrône Ian Gillan, le chanteur de Deep Purple. Dans « Child in Time », il me file le frisson à chaque fois. À l'époque, c'était pas trafiqué comme aujourd'hui, c'était du vrai. Tu peux pas savoir ce que me fait la musique, Microbe. Ça m'emporte, ça explose dans mon ventre, ça dresse les poils sur mes bras. Quand j'écoute un titre que j'aime, j'ai l'impression d'être encore plus vivant. C'est comme si les chansons parlaient pour moi. T'écoutes pas beaucoup de musique, toi, pas vrai ?

— Tu rigoles ? J'adore ça ! Quand je suis au volant, surtout.

— Ah, en voiture j'adore, mais faut faire gaffe. Quand la guitare s'emballe, j'ai tendance à appuyer sur l'accélérateur, c'est dangereux. T'écoutes quoi ?

Je souris :

— Si je te le dis, tu vas te moquer de moi.

Il n'en fallait pas plus pour lui donner une furieuse envie de savoir. Je lui fais promettre de ne rien révéler à personne, même pas à Gaëtan. Je lis l'excitation dans son regard. Je me lance :

— Parfois, quand je suis seule en voiture et que personne ne peut me voir, je pousse le volume à fond et je chante de toutes mes forces.

Il s'esclaffe :

— Tu fais ça sur du Lara Fabian ?

— Ça m'arrive. Mais, le plus souvent, c'est du Radiohead, du U2, du Aerosmith, du Jeff Buckley, du Led Zep, du Nirvana, du Guns.

Il s'arrête net :

— C'est vrai ?

— Le morceau que je préfère, c'est « Killing in the Name », de Rage Against the Machine. À un moment, ça monte lentement avant d'accélérer, et ça finit par exploser. Je suis incapable de ne pas remuer tout mon corps, ça me met dans tous mes états. Un jour, je hurlais comme une possédée, je n'avais pas vu le mec arrêté à côté de moi au feu. Quand j'ai tourné la tête, j'ai vu la terreur dans son regard. Il a dû croire que j'accouchais.

Mon père éclate de rire :

— Je ne t'ai donc pas transmis que mon carac-tère de cochon.

S'il savait.

J'hériterai de mon père des têtes d'Indiens en plâtre et quelques dettes, mais le patrimoine qu'il me lègue est inestimable.

Son goût pour la vraie musique, son humour de protection, son nez, ses mains, sa manière de s'essuyer la bouche en la tapotant, le vinaigre sur les omelettes, sa fierté, sa lucidité, son amour des gros mots, son respect des autres, sa générosité, sa nostalgie, son orthographe, ses dents en mousse, sa passion pour le fromage, ses ronflements, ses coins de cèpes, sa pudeur.

— Cela dit, papa, je ne suis pas d'accord avec toi. Ian Gillan chante bien, mais Jeff Buckley est clairement au-dessus.

— Ton petit roquet ? Ouais, pas mal. Mais ils ne jouent pas dans la même catégorie.

J'oubliais. La mauvaise foi, aussi.

Chapitre 48

Mon père a toujours nourri les oiseaux. Dans mes plus anciens souvenirs, je le vois émietter de petits morceaux de pain sur sa terrasse. Il poursuit cette tradition depuis qu'il vit ici, à la différence près qu'il jette sur l'herbe des baguettes entières.

— Vous pensez qu'on a des aigles dans le quartier ? le charrie Gaëtan en les ramassant.

— Juliane, appelle le 15, rétorque mon père, ton mari tente de faire de l'humour.

Ce dernier sourit, pas mécontent de son petit effet. La relation de ces deux-là s'est teintée de douceur, ils me font penser à deux gouttes d'aquarelle posées sur une feuille, qui se confondent tout en gardant leur caractère propre. Au contact de mon père, Gaëtan apprend à manier l'ironie. En échange, il lui inculque la modération.

Le pain m'a servi de prétexte pour attirer mon père dehors. On ne lui a rien dit, ma sœur tenait à ménager la surprise. Quand le taxi fait halte devant la maison et qu'Adèle en descend, je ne quitte pas mon père des yeux. Il l'observe, impassible. Sans ses lunettes, il ne doit distinguer qu'une silhouette non identifiée.

— Alors papa ? On n'aide pas sa fille à porter son sac ?

La lumière sur son visage. C'est incroyable, le pouvoir d'un être aimé. Il avance vers elle en tentant de dissimuler sa joie.

— L'Américaine ! lance-t-il en lui ouvrant le portail. Tu t'es souvenue que tu avais un père ?

— Non, je suis venue pour maman.

Il marque un temps d'arrêt et hausse les épaules :

— J'aurais dû la laisser avorter.

Elle rit et le serre dans ses bras, il se laisse faire, ce qui, en langage corporel paternel, correspond à un câlin.

Charlie est euphorique de voir sa tante. Moi aussi.

J'ai mal vécu son départ à Chicago. J'étais heureuse pour elle, mais effondrée pour moi. Elle emportait une partie de moi de l'autre côté de l'Atlantique.

J'avais cinq ans quand elle a déboulé dans ma vie, avec son crâne chauve et son œil qui regardait ailleurs si on y était. L'œil est rentré dans le rang grâce à des lunettes et du scotch, pour les cheveux il a fallu attendre un peu. Je l'ai aimée

220

tout de suite, elle me manquait depuis longtemps. Elle était mieux que je l'avais rêvée, encore mieux que toutes mes poupées. Elle avait sa chambre, mais ne parvenait à dormir que dans la mienne. Quand les parents ont divorcé, elle avait sept ans. Elle a pleuré fort, moi j'ai pleuré dedans. Le soir, dans notre chambre, on échafaudait des plans pour qu'ils se réconcilient. Quand maman nous a présenté José, on a commencé à s'intéresser aux crimes parfaits. Des expertes pas très douées, apparemment. Un week-end sur deux, on quittait le cadre maternel rassurant pour nager dans l'improvisation et la fête. Pour moi, elle a menti. Pour elle, j'ai joué à la Barbie jusqu'à seize ans. On a créé des spectacles d'humour qu'on donnait dans notre chambre, devant un public imaginaire – et en liesse. On s'est battues un paquet de fois, j'ai gardé une bosse sur le tibia, et l'oreille d'Adèle doit encore bourdonner. C'est la seule personne à qui je peux tout dire et de qui je peux tout entendre. Parfois, on ne se comprend pas, il arrive qu'on se déçoive, mais il y a un lien indéfectible qui n'existe qu'entre sœurs et frères. Mes souvenirs d'enfance sont inscrits dans nos deux mémoires. Nous partageons bien plus que le nom.

Elle a annoncé son départ lors d'un dîner chez ma mère. On mangeait du saumon, et une arête s'est fichée dans ma gorge. Je ne pouvais plus respirer, je sanglotais, j'ai cru mourir. Ma mère était affolée, Gaëtan livide, et ma sœur a souri, avant de me glisser à l'oreille qu'elle ne m'abandonnait pas. Elle avait compris que la seule chose qui encombrait ma gorge ne venait pas d'un poisson rose.

— Salut, frangine, fait-elle en m'enlaçant. Tu ne m'as pas du tout manqué.

— Toi non plus. Je ne suis pas heureuse de te voir.

L'après-midi a filé à toute vitesse, le temps passe encore plus vite quand on le rattrape. Adèle a rangé ses affaires dans le salon, même si le mot juste est plutôt « balancé », Gaëtan a préparé des crêpes qui ressemblaient à des pizzas, on a forcé l'enthousiasme pour lui assurer que c'était délicieux, Charlie a tenu à montrer à sa marraine ses progrès en guitare, mon père en a profité pour sortir la sienne, Apache a manifesté sa joie sur le tapis.

J'installe de nouvelles serviettes de toilette dans la salle de bains quand ma sœur me rejoint. Elle referme la porte sur nous et s'assoit sur la baignoire. Elle n'a pas besoin de parler, je me pose à côté d'elle et j'appuie ma tête sur son épaule.

— C'est dur, souffle-t-elle.

Je lui prends la main. On reste silencieuses un moment, à regarder la vie qui tourne.

Depuis son arrivée, Adèle a pu mettre des images sur ce que je lui racontais. Deviner est moins violent que voir. En quelques heures, mon père a cherché sa carte Vitale et son téléphone, oublié son code PIN, pas su expliquer pourquoi il avait éteint son téléphone, il est allé se chercher à boire et est revenu les mains vides, a allumé une cigarette dans le salon.

— J'ai l'impression qu'il ne se rend pas compte, je murmure.

— C'est bizarre.

— Oui, ça m'étonne aussi. Mais soit il est passé à côté d'une grande carrière d'acteur, soit il ne s'aperçoit de rien. Il râle parce qu'il perd des trucs, mais, malgré les rendez-vous médicaux, il n'a pas l'air de comprendre qu'il est malade.

— Tant mieux.

— Ouais. C'est le principal.

La sonnette met fin à cette conversation joyeuse. J'entre dans le salon au moment où Gaëtan ouvre la porte. Elle se tient sur le palier, un sourire accroché aux oreilles. Je m'approche d'elle pour l'accueillir en évitant le regard de mon père :

— Maman ? Qu'est-ce que tu fais là ?

Chapitre 49

Ma mère n'a manifestement pas réussi à choisir quel bijou porter pour en mettre plein la vue à mon père. Elle les a tous enfilés, et on n'est pas loin de la perdre, la vue.

— Bonsoir, mes chéris ! clame-t-elle en me tendant une boîte de pâtisseries, manière de m'annoncer qu'elle reste dîner.

Ma mère embrasse tour à tour ma sœur, en la complimentant sur ses chaussures, Charlie, Gaëtan, moi, et caresse la tête d'Apache. Je ne lâche pas mon père des yeux, il la fixe comme un moustique sur son bras. Elle s'approche de lui et lui tend la main :

— Bonsoir, Jean, ça fait longtemps.

— Oh, j'aurais pu tenir plus, marmonne-t-il en gardant sa main dans sa poche.

Elle hausse les épaules et se détourne de lui, manifestement vexée :

— Il n'est pas comme le vin, dit-elle à la cantonade. Il vieillit mal.

— Moi au moins, j'accepte de vieillir, réplique-t-il sans la regarder. J'ai pas le front lisse comme un cul de babouin.

Elle poursuit sa route vers la cuisine et lâche :

— Tu connais bien cet animal, c'est de la famille proche, non ?

Ma sœur et moi assistons à la scène, tétanisées. Ce que nous redoutons depuis des années est en train de se produire, et la réalité est pire que nos plus pessimistes prévisions. Ma mère s'est installée sur le canapé, son petit-fils sur les genoux. Elle lui caresse les cheveux, le couvre de baisers, je ne serais pas étonnée de la voir lui accrocher une pancarte « propriété privée » autour du cou.

— Vous n'avez pas servi l'apéro ? demande-t-elle.

— Pas encore, je réponds.

— Ça attire les mouches, ajoute mon père en regagnant sa chambre.

Il claque la porte. Quelques minutes plus tard, la musique fait trembler les murs. Je tends un verre de vin à ma mère :

— Maman, pourquoi tu es venue ?

Elle prend un air offensé :

— Je n'ai plus le droit de rendre visite à mes filles ?

— Tu aurais pu prévenir, lâche Adèle, tu savais que papa était là.

225

— Et alors ? On n'est pas des enfants, on sait se tenir.

— On a vu ça.

La conversation dévie rapidement sur le voyage de ma sœur. J'en profite pour me glisser dans la chambre de mon père. Il est assis sur son lit, en train de rouler des cigarettes dans la vieille rouleuse en métal que je lui ai toujours connue. Quand j'étais petite, j'aimais qu'il me laisse l'utiliser. Je déposais les brins de tabac dans la toile, assez pour éviter les trous, mais pas trop pour que ce ne soit pas trop tassé, j'humidifiais la feuille du bout de ma langue et je la glissais contre le tissu. Arrivait le dernier geste, qui précédait le verdict. Je fermais la boîte en appuyant fort dessus et magie : une cigarette était née.

— Promets-moi que tu ne fumeras jamais, me disait souvent mon père.

Je donnais volontiers ma parole, l'odeur me dégoûtait plus encore que celle des choux de Bruxelles de la cantine.

— Bien, approuvait-il en allumant sa clope. C'est une vraie saloperie, quand tu commences, t'es piégé.

Il me regarde entrer dans sa tanière, l'humeur affichée entre ses sourcils froncés. Je baisse le son, pousse les vêtements entassés sur la couette et m'assois à côté de lui.

— Tu viens avec nous ? Maman a acheté du saucisson sur le trajet.

— Je préfère qu'on me fasse une coloscopie.

Je désigne la boîte en métal :

— Je peux en rouler une ?

— Si tu veux, souffle-t-il en me la passant.

Il lance la cigarette qu'il vient de fabriquer dans un carton. J'écarte le rabat qui m'empêche de voir l'intérieur et je m'esclaffe :

— T'en as pour toute ta vie, là !

— J'aime bien en avoir quelques-unes d'avance.

— Mais elles vont sécher ! Tu m'as toujours dit qu'il ne fallait pas les rouler trop longtemps avant.

Il fixe la centaine de clopes sans réagir, comme s'il venait de les découvrir. Je détourne son attention en lui proposant de nouveau de nous rejoindre dans le salon.

— Allez, papa, ça me fait de la peine de te laisser passer la soirée seul. Viens avec nous, de toute manière, si tu veux manger, tu n'as pas le choix. Je ne te servirai pas ici.

L'estomac est la voie la plus rapide vers la raison de mon père. Il a toujours été gourmand, ne refusant jamais une bonne assiette et appréciant autant les raviolis en boîte que les plats plus élaborés. Mais, depuis quelques semaines, sa consommation est devenue presque inquiétante. Il mange à toute heure, se lève la nuit pour grignoter, peut se servir trois assiettes copieuses du même plat et enchaîner avec un dessert gargantuesque. Il voue une passion dévorante aux cakes aux fruits, qu'il consomme sans limite. J'ai pensé qu'il oubliait peut-être avoir mangé, mais, en effectuant des recherches sur Internet, j'ai appris que l'absence de sensation de satiété était l'un des symptômes de la démence.

— Adèle va préparer des spaghettis bolognaise, ça te dit ?

Il grogne. Je prends ça pour un oui et quitte son antre en l'informant que je l'attends dans le salon. Il nous rejoint quelques minutes plus tard, emmitouflé dans sa vieille robe de chambre marron.

— Je me suis mis à l'aise.

Charlie se lève pour rejoindre son grand-père, ma mère le ramène contre elle comme la prise d'un aspirateur. Mon père prend une dizaine de tranches de saucisson et s'assoit aussi loin que possible de son ex-femme.

— J'ai une bonne nouvelle à vous annoncer ! s'exclame ma mère en levant son verre.

— Tu pars déjà ? demande mon père.

— Quelle bonne nouvelle, maman ? demande Adèle.

— Je tiens le rôle principal dans le spectacle de fin d'année de natation synchronisée.

— Tu joues le *Titanic* ? interroge mon père.

Gaëtan se mord les joues. Ma mère se tourne vers mon père :

— Il m'a parlé, Cro-Magnon ?

— Même pas en rêve, musée Grévin.

— Maman, qu'est-ce que tu penses de ma nouvelle coiffure ? demande Adèle, tandis que je lance mon père sur l'agréable petit goût de noisette du saucisson.

La distraction est de courte durée, la passe d'armes reprend, jusqu'à ce qu'on détourne de nouveau l'attention des sales gosses. Le dîner coule ainsi, entre discussions joviales et réflexions acides.

Au dessert, ma sœur me rejoint dans la cuisine et me fait part de son soulagement :

— Les deux sont encore vivants.

— Attends, ce n'est pas encore fini.

— Qu'est-ce qu'ils se mettent ! Ils se loupent pas !

— Si les mots étaient des balles, on serait les filles de deux passoires.

On rit, la main sur la bouche pour étouffer les voix, on n'arrive pas à s'arrêter, notre corps est secoué de hoquets, j'en ai mal au ventre, les yeux d'Adèle pleurent, on rit pendant de longues minutes, comme si ça n'allait jamais s'arrêter, on rit comme deux gamines qui ont joué un mauvais tour et, quand on parvient à reprendre notre souffle et qu'on rouvre les yeux sur la cuisine, on découvre quatre paires d'yeux qui nous observent d'un air perplexe.

Chapitre 50

Je n'ai pas dormi de la nuit. Comme si mon cerveau avait conscience que ce rendez-vous marquerait une étape, les souvenirs sont entrés par effraction.

Quand j'étais petite, nous partions chaque été en camping dans les Landes, avec ma tante paternelle Marie-France, son mari et mes trois cousins. Les parents dormaient dans la caravane, et nous, les minus, dans des tentes canadiennes dont nous étions tirés à l'aube par les rayons du soleil et le klaxon de la fourgonnette du boulanger. On petit-déjeunait d'un bol de chocolat chaud et de tartines de pain frais à l'ombre des pins, avant d'aller faire la vaisselle aux sanitaires communs, tâche qui finissait inévitablement en bataille d'eau. L'après-midi, nous prenions la direction de la plage, à pied, parasols, crème solaire et serviettes de bain sous le bras. On traversait les dunes sur les caillebotis brûlants, l'air iodé gonflait nos poumons, et nous avions à chaque fois le souffle coupé en arrivant face à l'immensité de l'océan. On avait le droit de se baigner dans la zone surveillée, mais uniquement après avoir digéré et s'être mouillé la nuque. Mon père et mon oncle jouaient au ballon sur le sable mouillé, on ne tardait jamais à les rejoindre. Le soir, nous allions nous balader dans la rue piétonne de Mimizan, ça sentait le monoï et les gaufres. Mon père nous achetait toujours des gourmandises, des chichis ou des chouchous – j'ai su plus tard que la plupart des gens appelaient ça des churros et des pralines. Ma mère râlait, on allait grossir, mais on s'en foutait, c'étaient les vacances. Je n'ai jamais vu mon père plus heureux que pendant ces parenthèses estivales. Loin de l'usine où il s'abîmait le dos, loin des contraintes, au plus près de sa liberté chérie, il vivait.

Lucie, la gériatre, exerce au Centre de la mémoire, qui se situe dans le prolongement d'un Ehpad. Le parking est saturé, on doit se garer plus loin et s'y rendre à pied. Mon père peste à chaque pas. Nous marchons derrière un couple de personnes âgées, l'homme tient sa femme par le coude et répond inlassablement, avec une patience émouvante, à une question qui revient en boucle.

— On rentre bientôt à la maison ?
— Oui, bientôt.
— On rentre bientôt à la maison ?
— Oui, bientôt.

J'ai envie de pleurer. Nous marchons juste derrière notre avenir.

La matinée s'écoule comme annoncé par la secrétaire.

Pendant que mon père rencontre le psychologue, qui va évaluer son comportement, ma sœur et moi sommes reçues par l'infirmière, qui cherche à connaître les signes qui nous font penser à une maladie. Elle se saisit des résultats du scanner et de l'IRM et remplit plusieurs documents en nous posant des questions très précises. Elle parle d'une voix douce, qui amortit un peu l'âpreté de la situation.

Une fois l'entretien terminé, nous inversons. Le psychologue est un jeune homme souriant qui nous interroge sur les difficultés de notre père, mais également les nôtres. Il nous apprend l'existence de groupes de parole et d'associations pour soutenir les aidants, je prends les coordonnées. Mon père semble avoir fourni des réponses très différentes des nôtres.

— C'est courant, nous informe le psychologue. Les patients n'ont souvent pas conscience de leurs difficultés, ils sont persuadés que rien n'a changé.

Je me demande si c'est le cas. Mon père ne se rend-il pas compte de ses flottements ou ne veut-il pas en parler ? Je préférerais la première option. Cela signifierait que son cerveau est endommagé au point de distordre la réalité. Dans ces circonstances, la pire ennemie est la lucidité.

Entre deux rendez-vous, on poireaute sur des chaises en plastique en cherchant de l'espoir sur les affiches accrochées aux murs.

— Regarde, chuchote Adèle en désignant une liste de symptômes écrite en gros caractères. Papa n'a pas de troubles du langage, c'est plutôt rassurant.

J'acquiesce. Je suis prête à me blottir dans la moindre raison d'y croire.

Mon père nous rejoint, l'air bougon. Il branche son téléphone et s'assoit en silence. Pas besoin d'interprète pour comprendre qu'il boude.

— Ça va, papa ? je demande.

— À merveille. Tu aurais une corde ?

— Ça te remue ? questionne ma sœur.

— Ça m'emmerde, le vendredi c'est le jour des offres en or au téléachat.

Lucie vient nous chercher. On se salue, elle me demande des nouvelles de Charlie pendant que nous marchons vers son bureau. On s'assoit face à elle, le père encadré par ses deux filles.

Elle ne perd pas de temps, pèse ses mots, mais ne les dégraisse pas. Elle s'adresse à mon père, le regarde au fond des yeux.

Plusieurs zones du cerveau sont touchées, l'IRM montre des lésions importantes. Le sang n'y circule pas correctement. Les tests passés avec le psychologue et l'infirmière révèlent une légère atteinte de la mémoire, mais surtout des difficultés d'attention, de concentration et d'organisation. L'attention ne se fixe pas, elle s'envole immédiatement, d'où les oublis. Une apathie est également décelée, qui explique le manque d'enthousiasme et d'initiatives.

C'est bizarre d'être à la fois dévasté et soulagé.

Il y a quelque chose. Mon père est vraiment malade.

Mon père est malade.

Mon père est malade.

Je tourne la tête et l'observe, il écoute en hochant la tête. Je me demande s'il comprend. Les épaules de ma sœur se sont affaissées.

— Ça ne ressemble pas à Alzheimer, poursuit Lucie. Je pense que c'est plutôt lié à un problème de circulation sanguine. Il faudrait faire un bilan cardio. J'aimerais que l'on mette en place des séances de rééducation de l'organisation et de la planification avec un orthophoniste, il y en a une très bien à côté de chez vous. Vous avez du mal à effectuer une tâche jusqu'au bout, ça peut vous aider. Vous seriez d'accord ?

— J'en sais trop rien, répond mon père.

— Ça va te faire du bien ! je m'exclame, avec beaucoup trop d'enthousiasme.

La gériatre argumente, elle assure que ce serait bénéfique. Il faudrait aussi que mon père marche

234

au moins une demi-heure par jour pour améliorer sa circulation sanguine et l'oxygénation de son cerveau.

J'attends le dernier moment pour poser la question qui pourrait anéantir tout espoir. J'ai envie d'en poser des milliers, mais je n'arrive toujours pas à parler de lui devant lui comme s'il n'était pas là. Je ne sais pas si on s'y habitue un jour, à devoir traiter son parent comme un enfant.

— Lucie, ça peut ne plus évoluer ?

Elle jette un coup d'œil aux documents et me sourit tristement :

— Si on maîtrise tous les facteurs de risque, diminution de la cigarette, marche quotidienne, orthophoniste, je pense que l'on peut ralentir l'évolution. Mais cela semble être dégénératif.

Je caresse le bras de mon père. Il ne réagit pas.

— Le tableau n'est pas classique, poursuit-elle. Certains résultats sont très intrigants. Monsieur Piccoli, j'aimerais poursuivre les investigations si vous le voulez bien. Il existe un examen, qui s'appelle une scintigraphie cérébrale et qui nous permettrait de voir le fonctionnement de votre cerveau en détail. Je voudrais vous prendre rendez-vous, c'est à l'hôpital. Qu'en pensez-vous ?

Il baisse la tête, fixe ses mains pendant plusieurs secondes, puis plante ses yeux dans ceux de Lucie :

— Ça dépend, les infirmières sont mignonnes ?

PARTIE 5

L'acceptation

Chapitre 51

La nuit est devenue le refuge de mes idées noires. Vers trois heures du matin, sous le règne de la pénombre et du silence, le sommeil se défile et le ballet des regrets commence. Les premiers rôles sont tenus par Nostalgie et Culpabilité, qui enchaînent les arabesques dans le passé.

J'aurais dû voir. Il y avait des signes. Cette indifférence à notre égard était inhabituelle. Chaque année, pour l'anniversaire de Charlie, mon père l'embarquait pour une journée placée sous le signe du plaisir. C'était sa journée, il choisissait les activités, mon père ne pouvait qu'accepter. Il avait tous les droits, et un seul devoir : s'amuser. Ensemble, ils ont fait de la tyrolienne, du surf, attrapé la queue de Mickey, vu un spectacle de Tchoupi, mangé des tonnes de barbe à papa, dormi dans une cabane perchée dans un arbre, fait du skate, de l'escalade, le tout impérativement déguisés en pirates, chevaliers ou princesses. L'année dernière, mon père n'a même pas appelé Charlie pour son anniversaire. Je me suis fendue d'un message acide, auquel il n'a pas réagi. Il ne s'est pas davantage manifesté pour prendre des nouvelles quand il s'est cassé le poignet. Il prenait rarement des nouvelles, il se contentait de celles que je lui donnais. J'ai espacé mes appels, pensant qu'ils avaient peu d'intérêt pour lui. J'ai laissé le silence devenir normal, je me suis accommodée de cette relation en pointillé. J'ai passé plusieurs mois à penser qu'on n'était pas importants pour lui, à assommer ma tristesse à grands coups de rancune.

Peut-être qu'on aurait pu le soigner, si j'avais vu à temps.

Et ces mois, presque une année, pendant lesquels je ne lui ai pas parlé.

Tout ce temps avec l'amour sur pause.

Tout ce temps gâché.

Un jour qu'il avait un peu trop bu, il m'a raconté le gouffre qu'avait laissé ma mère en le quittant. « J'ai essayé de la remplacer par une autre, j'ai jamais réussi, Microbe. Elle était trop bien, mais je l'ai vraiment découvert que quand elle est partie. »

J'ai le même sentiment. De l'avoir eu sous les yeux sans le voir. Il était là, à portée de main, depuis ma naissance. Disponible, comme un prolongement de moi, une présence permanente et éternelle. Maintenant que cette présence est fragilisée, je le vois. Ses qualités, ses failles, l'humain qu'il est. Je le rencontre enfin, au moment où il s'éclipse.

Sa raison s'effrite, sa personnalité s'effiloche. Petit à petit, mon papa tire sa révérence.

Chapitre 52

Adèle est repartie. On l'a accompagnée à l'aéroport, on était en retard à cause de mon père qui ne trouvait pas sa carte Vitale et qui ne voulait pas partir sans. Il a fallu qu'on coure, il a insulté ses poumons, mais on est arrivés à temps. Adèle a eu quelques secondes pour nous faire ses adieux, et ils étaient moins légers que d'habitude. Son menton tremblait, elle faisait pareil quand ma mère la déposait à la crèche avant de m'emmener à l'école, elle attendait qu'on ne soit plus là pour craquer. Cette fois, elle n'a pas tenu, elle s'est effondrée en gros sanglots, mais pour nous rassurer elle souriait en même temps, son empathie m'a émue et je me suis mise à pleurer aussi, alors mon père a levé les yeux au ciel en disant « pleurez, vous pisserez moins ».

Il fait presque nuit quand nous rentrons. Charlie fait ses devoirs avec Gaëtan.

— T'es pas encore au chnouf ? lui demande mon père.

Les yeux de mon fils s'arrondissent :

— Ça veut dire quoi ?

— C'est une invention de ton grand-père, je réponds en ouvrant le lave-vaisselle pour le vider.

Le chnouf côtoie *dégargancé* dans le dictionnaire personnel de mon père. Chaque soir de mon enfance, j'ai entendu : « Allez, les filles, les dents, pipi et au chnouf ! » Le jour où j'ai appris que ce terme n'existait pas, je me suis empressée de partager l'information avec lui. Après quelques recherches, j'avais conclu qu'il confondait avec le « schlof », utilisé dans l'est de la France pour désigner le lit. On vivait dans le Sud-Ouest, la prononciation exacte avait pu se perdre en route. Il le savait déjà, mais c'était l'une des rares transmissions de sa mère, il y tenait. Je n'ai pas perpétué la tradition familiale, mon fils va au lit, comme les autres.

Mon père secoue la tête et s'assoit face à Charlie :

— N'écoute pas ta mère, Crapaud, elle n'y connaît rien. Le chnouf, c'est un vaisseau qui te transporte au pays des rêves.

— Ça existe pas, papy ! s'exclame Charlie.

Dans ses yeux scintille l'espoir qu'on lui affirme le contraire.

— Papa, arrête, il va y croire.

— J'y ai pas cru ! lâche le petit déçu.

Mon père me sourit tristement :

— J'ai connu une gamine qui y croyait, mais apparemment elle a abandonné son âme d'enfant.

Je continue de vider le lave-vaisselle en essayant de faire disparaître la boule amère qui se forme dans ma gorge. Je ne sais pas pourquoi ça fait si mal. Seules deux personnes au monde sont capables de m'anéantir en une seule remarque : ma mère et mon père. Chaque infime critique, si bienveillante soit-elle, remet en question tout mon être. Je suis un château de cartes face à eux, je ne supporte que leur tendresse. Qu'ils soufflent le tiède et je m'écroule. Ils peuvent m'abreuver de compliments, si au milieu se glisse un bémol, c'est lui que j'entendrai. C'est le privilège des parents, leurs mots comptent triple.

C'est pire encore quand leurs mots disent la vérité.

Chapitre 53

Mes collègues ont pris l'habitude de me voir quitter le bureau, téléphone à l'oreille. Mon père m'appelle dix fois par jour.

9 h 36 : j'ai perdu mes lunettes.

10 h 44 : j'ai retrouvé mes lunettes, elles étaient sur mon lit.

11 h 05 : j'ai perdu ma carte Vitale, putain de merde ça me fait chier de tout perdre.

11 h 56 : j'ai perdu ma carte Vitale.

13 h 30 : ne m'appelle pas, j'éteins mon téléphone pour faire ma sieste, ils arrêtent pas de m'emmerder pour me vendre des trucs.

13 h 32 : tu pourras prendre de la javel en rentrant ?

14 h 22 : la télé ne marche plus, je sais pas ce qui se passe, l'écran est tout noir.

15 h 00 : je ne peux plus ouvrir mes mails, ils me disent que mon mot de passe est faux mais je suis sûr de moi.

15 h 49 : j'ai perdu mes lunettes.

Chaque appel commence par : « Oui, c'est encore moi. »

Il ne sort quasiment plus de la maison. Il n'a pas reçu de nouvelle commande depuis des semaines. On dirait que son envie aussi s'éteint.

Je viens de revenir de ma pause déjeuner quand la sonnerie que je lui ai attribuée me fait sursauter. Led Zeppelin, c'est violent en phase de digestion.

— Juliane, c'est la merde. La porte s'est fermée.

Il n'a pas besoin d'en dire plus, je visualise la situation. La porte d'entrée de la maison est munie d'une serrure automatique. Quand on claque la porte, il faut une clé pour l'ouvrir de l'extérieur.

— T'es enfermé dehors ?

— Apache avait disparu, alors je suis sorti le chercher dans le jardin, la porte a claqué. Mais c'est bon, Microbe, j'ai trouvé un abri.

— Ah ? Tu es où ?

— Chez Colin.

Je lui demande de répéter, persuadée d'avoir mal entendu, mais la seconde version est la même que la première, avec une précision en supplément :

— Je suis chez Colin, il a eu pitié de moi, j'étais en slibard.

Quand je tente d'imaginer la scène, mon cerveau disjoncte.

— Tu rentres quand ? s'informe-t-il. Apache est enfermé dans la maison, je l'ai vu par la fenêtre quand j'étais bloqué. Je l'avais pourtant cherché partout, j'aurais juré qu'il avait fugué.

— Je quitte le boulot dans deux heures, je passe chercher Charlie et j'arrive.

— Ça fait long ! Il est gentil, Colin, mais il regarde des feuilletons allemands.

En arrière-plan, j'entends le voisin protester. Je promets de faire au plus vite et retourne à mes appels d'offres.

Mon père quitte la maison de monsieur Colin avec un pantalon trop large et trop court et une chemise à carreaux. Il remercie le voisin d'une tape sur l'épaule, salue sa femme d'un geste de la main, me subtilise les clés et rentre au pas de course, suivi par Charlie. Je m'apprête à me joindre à eux quand le voisin me fait signe d'attendre. Il observe mon père jusqu'à ce qu'il ait disparu, puis murmure :

— Je ne savais pas.

— Vous ne saviez pas quoi ?

— Il m'a demandé cinq fois si je voyais les merles dans votre cerisier. Il se trouve que mon épouse est atteinte de la maladie d'Alzheimer.

Par la porte ouverte, je vois madame Colin, assise dans un fauteuil face à la télé. Je n'avais pas remarqué qu'elle était malade.

— Je suis désolée.

— Moi aussi.

Il fait demi-tour et se dirige vers sa porte :

— Tout de même, si votre père pouvait se garer devant chez vous, j'en serais ravi.

Chapitre 54

Je ne sais pas pourquoi je suis venue.

Je n'ai pas envie de parler, or ça s'appelle un groupe de parole, il y avait un indice dans le nom. Depuis que j'ai appelé le numéro donné par la gériatre, j'ai failli annuler mille fois.

Je ne sais pas pourquoi je suis venue.

Nous sommes une dizaine de personnes, femmes, hommes, enfants, conjoints, sœurs, pères. La réunion a lieu dans le local de l'association de soutien aux aidants. Je ne connaissais pas ce terme, il fait partie de ceux que l'on ignore avant d'y être confronté.

On est deux nouvelles. Je dois me présenter et expliquer les raisons de ma présence. Chaque mot m'écorche la gorge, je manque de m'effondrer à chaque coin de phrase. Je reste uniquement parce que j'ai laissé mon sac au vestiaire.

Il y a cette dame, dont le mari est atteint de la maladie d'Alzheimer depuis sept ans. Elle sourit, affirme que la maladie a décuplé leur bonheur, que les jours ont plus d'ampleur quand ils sont comptés. Son optimisme et sa sérénité m'agressent. Comment peut-on trouver des points positifs à une maladie qui détruit le cerveau peu à peu et nous dépossède de la seule chose qui importe vraiment : les souvenirs ?

Il y a cet homme, pas beaucoup plus âgé que moi, qui raconte sa peur de voir sa mère disparaître, sa fatigue, mais aussi les jolis moments qu'il parvient à voler à la cruauté du quotidien.

Il y a ce monsieur qui confie que son épouse a oublié son prénom, mais qu'il est persuadé qu'elle le reconnaît quand même. Quand il met un disque de Brel, ses mains se mettent à danser et, l'espace d'une valse à mille temps, ils redeviennent de vieux amants.

Il y a cette femme qui sanglote comme une petite fille en avouant qu'elle n'avait plus la force, qu'elle a dû se résoudre à placer son fils de cinquante-deux ans, frappé de démence après un AVC.

Il y a cette jeune fille, dont la grand-mère ne sait plus faire les lacets ou fonctionner le four, mais qui vient de se mettre au badminton et aux percussions. Elle se gondole en nous décrivant leurs concerts endiablés, qui rendent fous les voisins.

Il y a la seconde nouvelle, qui n'arrivait pas à parler au début de la séance et prend la parole alors qu'elle touche à sa fin. Elle refuse, freine des quatre fers. Reprend sa mère quand elle se répète, la rabroue quand elle oublie, la secoue quand elle s'absente. Elle ne comprend pas pourquoi certaines fois elle est tout à fait lucide. Si le cerveau était vraiment endommagé, ce serait tout le temps, pas vrai ? Elle pose des questions, mais n'attend pas de réponse, ce qu'elle veut c'est de l'espoir.

On boit un café, on échange quelques paroles, on se dit à la prochaine, et je me retrouve seule dans ma voiture, à chialer sur ce qui ne sera plus.

J'ai l'impression de sortir d'un match de boxe, et je suis tombée sur plus fort que moi.

J'ai mal au ventre, aux jambes, aux tempes, j'ai mal à mon père.

Ils ont raison. Tous. Celui qui refuse et celui qui accepte. Celui qui tâtonne dans la pénombre et celui qui cherche la lumière. Celui qui danse sous la pluie et celui qui brûle au soleil.

Je ne sais pas pourquoi je suis venue. Mais j'ai bien fait.

Il ne sert plus à rien de marchander avec la fatalité.

Je ne suis pas prête. Je pensais avoir le temps. Mes parents sont jeunes, et moi pas tout à fait grande. Mais je n'ai plus le choix. Je suis lancée à toute allure sur un toboggan que je n'avais pas du tout envie d'emprunter. Je ne peux pas faire demi-tour.

La maladie va évoluer, et mon père régresser.

Je dois arrêter de le reprendre sans cesse, de lui dire « tu l'as déjà dit ». Je dois arrêter d'essayer de le retenir.

Je n'arriverai sans doute jamais à lâcher prise suffisamment pour accepter totalement la situation. Mais je peux essayer.

Il nous reste de beaux moments. Il est encore là.

Puisque mon père n'habite plus tout à fait dans ce monde, je vais passer une tête dans le sien.

Chapitre 55

Mon père a reçu une lettre. Son nom est inscrit sur l'enveloppe, mais elle ne comporte ni adresse ni timbre. Quelqu'un l'a glissée directement dans la boîte. C'est une écriture de femme. Elle trône sur le buffet de l'entrée depuis deux jours, malgré mes rappels pour qu'il la lise. J'ignore comment il fait pour résister à la curiosité, je dois me faire les gros yeux chaque fois que je passe à côté, pour me dissuader de l'ouvrir à la vapeur.

Ses amis sont venus lui rendre visite un soir, j'ai compris qu'ils ne l'avaient pas vu depuis un moment. Hormis les trente minutes de marche quotidienne qu'il effectue avec Apache, et notre footing hebdomadaire, il ne sort presque plus. Sa voiture n'a pas bougé depuis trois jours. La dernière fois qu'il a conduit, c'était pour récupérer son courrier chez lui. Il est revenu avec factures et prospectus, mais sans colis.

La gériatre avait parlé d'apathie. La définition correspond parfaitement à l'étiolement de son enthousiasme : « état d'indifférence à l'émotion, la motivation ou la passion. Un individu apathique manque d'intérêt émotionnel, social, spirituel, philosophique, parfois accompagné de phénomènes physiques. L'individu apathique peut également se montrer insensible vis-à-vis d'autrui ».

Elle avait précisé qu'il lui manquait le déclic, qu'on pouvait essayer de lui fournir la motivation pour mettre la machine en branle.

— Papy, on fait un gâteau, tu viens ?

Charlie est le meilleur des moteurs.

— C'est quoi comme gâteau ? questionne mon père en nous rejoignant.

— Un clafoutis aux cerises.

— J'adore ça ! fait-il.

Les branches du cerisier ploient sous les fruits, mais ça non plus ne semble plus l'intéresser. Je n'aurais jamais cru m'entendre lancer le sujet des merles un jour :

— Tu as vu les merles ? Ils mangent toutes les cerises avant qu'elles soient mûres.

— Je vais m'en occuper, répond-il. Tu as un fusil ?

— Papa ! Tu ne vas pas tuer des oiseaux !

Il pointe son doigt vers un endroit derrière moi :

— Microbe, t'as perdu quelque chose.

Je baisse la tête et fouille le carrelage du regard :

— C'est quoi ? Je ne vois rien.

— Ton sens de l'humour, réplique-t-il en rugis-sant de rire.

Gaëtan se joint à lui, j'essaie de résister, de montrer à quel point je suis vexée, mais, face à leur hilarité, je rends les armes.

Charlie se hisse sur le marchepied pour verser les ingrédients dans le cul-de-poule, en se bidon-nant comme chaque fois qu'il en entend le nom. Il commente ses gestes en prononçant le mot inter-dit dans chaque phrase. Mon père mélange la pré-paration :

— C'est quoi comme gâteau ?

— Je te l'ai déjà…

Je suspends ma phrase et j'inspire longuement pour chasser mon naturel et le mettre au pas.

— Un clafoutis aux cerises. Tu aimes ça ?

— J'adore !

— Moi je préfère les gâteaux au chocolat, in-tervient mon fils, parce qu'après je peux lécher le chocolat sur le cul de la poule.

Mon père s'esclaffe, moi aussi. Charlie, encou-ragé, poursuit ses confidences à la faveur d'une mystérieuse association d'idées :

— Lara, elle ressemble à un canard, des fois.

— Qui est Lara ? interroge Gaëtan.

— Une fille de l'école, elle est trop drôle, elle fait des bruits comme un canard. La maîtresse, elle nous a grondés parce qu'on rigolait avec elle, mais Lara aussi elle rigolait avec nous.

— Elle est dans la classe de Martine ? je demande.

— Oui ! Tu la connais ?

Martine est l'enseignante de la classe ULIS, qui accueille des enfants en situation de handicap. Je vois rouge :

— Charlie, tu aimes qu'on se moque de toi ?

— Non ! Mais on la moquait pas !

— Si, c'est exactement ce que vous avez fait. Vous vous êtes moqués d'elle parce qu'elle est différente. Vous avez dû lui faire de la peine. Je t'ai toujours expliqué qu'il existait des personnes différentes, et qu'il ne fallait ni s'en moquer, ni en avoir peur.

Mon père ricane :

— Faites ce que je dis...

— De quoi tu parles, papa ?

Il fait lécher le fouet dégoulinant de pâte à Apache et me sourit :

— Tu lui dis de ne pas avoir peur de la différence, et tu fais tout pour qu'il soit comme les autres. Tu le reprends chaque fois qu'il fait une faute dans une phrase. Lâche-lui la grappe, laisse-le ne pas être comme les autres. C'est tellement chiant, d'être comme les autres. C'est quoi comme gâteau ?

Chapitre 56

— Ton père a pris un coup de vieux.

Ma mère a de nouvelles cartouches, elle n'allait pas les laisser dans sa poche.

— On vieillit tous, maman.

— Tu veux dire que je suis ridée ?

— Je n'ai jamais dit ça, et je ne vois pas comment je pourrais le dire. Tu as moins de rides qu'un bidet.

Le serveur dépose les cartes sur la table. Je la consulte pour la forme, je prendrai la même chose que d'habitude : daurade, purée de pommes de terre et fruit du jour. Quand je relève les yeux, je découvre les joues de ma mère inondées.

— Qu'est-ce qu'il y a ? Oh, c'est à cause de ma blague sur le bidet ? Je rigolais, maman, je ne…

— Il me fait de la peine, hoquette-t-elle.

Il faut plusieurs secondes à mon cerveau pour faire le lien entre le chagrin de ma mère et la situation de mon père.

— Il avait un regard perdu, on aurait dit un enfant. Enfin, plus que d'habitude. Tu es sûre que c'est évolutif ? Je me suis un peu renseignée, j'ai appelé un ami de José qui est neurologue, il dit que ça peut être de simples lésions liées au tabac ou à l'hypertension.

— C'est peu probable. Je vois bien que ça évolue, il y a de nouveaux symptômes chaque jour.

Ses larmes continuent de couler :

— Tu sais le plus terrible ? C'est que je n'arrive plus à le détester.

— Pourtant, il n'a pas été tendre l'autre soir.

— Vous avez choisi ? nous interrompt le serveur.

Ma mère commande, il se tourne vers moi.

— Je vais prendre le burger au chèvre avec des frites, et un tiramisu en dessert.

— Juliane…

— Maman, s'il te plaît.

— C'est pour toi, moi je m'en fiche, fait-elle en se tapotant les yeux avec la serviette.

Ma mère sait que je n'aime ni mon apparence, ni les jugements et idées reçues qui l'accompagnent. Dans son esprit, je manque de volonté. Pour maigrir, il me suffit de manger moins, ce n'est pas compliqué, elle y arrive bien, elle. Pour me motiver, elle m'inflige une remarque chaque fois que j'approche de ma bouche un aliment qui ne ressemble pas à un haricot vert. Ma sœur, qui est grande et fine comme notre père, mais qui doit héberger dans ses artères la moitié des ressources mondiales en cholestérol, ne récolte jamais la moindre réaction quand elle engloutit son poids en chocolat. Plusieurs fois, j'ai expliqué à ma mère que cette pression m'était insupportable, que la volonté n'avait rien à voir là-dedans, je l'ai implorée de ne plus commenter mon apparence physique, mais c'est plus fort qu'elle. Malgré ses efforts, tôt ou tard une réflexion finit par franchir ses lèvres. Comme un spasme.

Je sais qu'elle ne changera pas. Qu'en attendant d'elle un autre comportement, c'est à moi que je fais du mal. Alors, pour contourner la douleur et éviter le conflit, chaque mardi midi, j'ignore le tiramisu et j'opte pour les fruits. J'ignore mes envies et j'opte pour son avis. C'est la première fois que je ne lui cède pas la priorité. J'ai l'impression d'être une punk.

— Ne t'en fais pas pour moi, maman.

— Bien sûr que si, je pense à toi et à ta sœur, je n'ose imaginer ce que vous ressentez.

Sa voix s'étrangle.

— Tu sais, Juliane, je ne suis pas très douée pour faire les compliments, mais c'est formidable ce que tu fais avec ton père.

— C'est normal.

— Tout le monde ne ferait pas ça. Il a de la chance, ma grande. Mais il faut que tu penses à toi. Mon ami neurologue m'a dit que, dans ce genre de maladies, les aidants souffrent tellement que leur espérance de vie est réduite. Quand ça deviendra trop difficile, il faudra songer à le placer.

Le voilà. Le sujet que je refuse de regarder en face depuis des mois. Il est là, sur la table de mon déjeuner, à m'imposer son sordide, à encombrer mon horizon. J'étouffe, je me noie, le sol m'engloutit, la vie m'avale. Ma mère prend ma main et la caresse doucement, j'ai besoin d'air, je m'apprête à me lever et à partir en courant, mais le serveur revient et dépose devant moi la sortie de secours.

Chapitre 57

Depuis hier, mon père ne se sépare plus d'une paire de ciseaux à ongles qu'il ne cesse d'ouvrir et de fermer rapidement contre ses joues. Toute la journée, clac clac clac, il constelle sa barbe grise de petits trous disparates. A contrario, il a complètement abandonné l'entretien de son crâne, qui était auparavant l'un de ses rituels quotidiens. Quand il a commencé à se dégarnir, il y a une vingtaine d'années, il s'est emparé d'un rasoir et a abandonné ses cheveux longs sur le carrelage de la salle de bains. Depuis, il ne s'est pas passé un jour sans qu'une lame affûtée soit venue lisser sa tête. Maintenant qu'il ne s'en occupe plus, je découvre que le seul endroit encore pourvu de cheveux est l'arrière de son crâne. Il faut que je trouve une solution avant qu'il se balade avec une coupe mi-chauve mi-mulet.

Il cliquette tandis que je cherche une place sur le parking du supermarché.

— Papa, tu laisseras les ciseaux dans la voiture, OK ?

— Pourquoi ?

— On ne peut pas se balader dans un super-marché avec des ciseaux à la main.

Il brandit l'outil métallique et l'approche de mon visage :

— Tremble, je suis le Freddy Krueger des cuti-cules !

Son sens de l'humour est solidement accroché, il ne devrait pas disparaître de sitôt.

Je n'ai que quelques courses à faire. Il ne tenait pas à m'accompagner, j'ai insisté jusqu'à ce qu'il cède, comme je le faisais petite pour obtenir un tour de manège supplémentaire. Je trouve enfin une place, difficile d'accès, car une voiture est garée à cheval sur la ligne. Je dois enjamber le levier de vitesse et sortir du côté passager, il n'y a pas assez d'espace pour ouvrir ma portière. Mon père m'attend dehors en fouillant dans son sac à dos.

— Tu cherches quelque chose ? je demande.

— C'est bon, j'ai trouvé.

Sa main réapparaît, munie d'une liasse de papiers. Il en prend un et l'approche du pare-brise de la voiture mal stationnée. Je n'y crois pas. Il possède plusieurs exemplaires du mot doux laissé à monsieur Colin.

— Papa, tu fais ça souvent ?

— Chaque fois que les gens sont garés comme des cons.

Je parviens à le convaincre de renoncer, mais je récolte une petite bouderie. Elle s'interrompt dès que nous posons un pied sur la Terre du Plaisir et de la Joie : le rayon gâteaux. Le chariot se remplit de cakes aux fruits en tout genre : individuels, prétranchés, à l'anglaise, bio, pur beurre, au rhum, fruits confits, fruits secs, il prend au moins un exemplaire de chaque référence, on dirait qu'il veut préserver les cakes de la jalousie.

— Je vais chercher des biscuits pour Apache, annonce-t-il quand il a fini.

Je ne proteste pas, même si je sais que son chien n'a plus aucun intérêt pour la nourriture canine depuis qu'il a découvert celle des humains. Depuis quelque temps, mon père partage systématiquement ses plats et ses grignotages avec son compagnon.

Dix minutes plus tard, il n'est pas revenu. J'arpente les allées en cherchant son crâne, avec les néons il luit, impossible de le louper. Quand nous étions petites, ma sœur et moi l'appelions Océdar, comme le produit qui faisait briller les meubles. Je me marre en y repensant.

Dix nouvelles minutes, je ne me marre plus, Océdar n'est nulle part et ne répond pas à son téléphone. J'envisage de me rendre à l'accueil et de lancer un appel : « Le petit Jean est attendu par sa fifille à l'accueil. Il mesure 1,83 mètre et porte un jean déchiré, un tee-shirt Nirvana, et des sandales marron. Si vous le repérez, vous pourrez l'appâter avec des cakes aux fruits. »

Je finis par le trouver au rayon jouets, les bras chargés de friandises pour Apache et de lots de deux boîtes de cassoulet, qui étaient manifestement en promo.

— Tu crois que ça plairait à Charlie ? me demande-t-il en désignant une voiture télécommandée.

— Sûrement, mais il n'y a aucune raison de lui offrir un cadeau.

— C'est encore mieux quand il n'y a aucune raison.

En arrivant à la caisse, le chariot débordant d'articles qui ne figuraient pas sur ma liste, je note mentalement de ne pas insister, la prochaine fois qu'il ne voudra pas venir aux courses.

Il y a la queue. Quatre personnes sont avant nous, insurmontable pour celui dont la patience a été amputée à la naissance.

— Je vais fumer, je t'attends dehors.

J'hésite à le retenir, j'ai peur qu'il se perde encore, mais je me suis promis d'essayer de lâcher prise. Ça commence ici.

À peine a-t-il passé le portique que deux agents de sécurité s'approchent de lui. Je n'entends pas ce qu'ils lui disent, mais je le vois hocher la tête et les suivre vers l'entrée du centre commercial.

Je laisse le chariot en plan et cours derrière eux. J'arrive à leur hauteur au moment où ils pénètrent dans le bureau de sécurité.

— Que se passe-t-il ?

— Circulez, madame, répond l'un des vigiles.

— Jeune homme, répond mon père, si vous parlez mal à ma fille, je vais devoir vous donner un cours de boxe.

— Vous êtes sa fille ?

Je hoche la tête. Ils me font entrer dans le bureau et ferment la porte.

— Monsieur, avez-vous quelque chose à nous dire ?

— Euh… bonjour ?

— Ne vous moquez pas de nous. Avez-vous volé quelque chose dans le magasin ?

Mon sang se glace. Ce n'est pas possible, ils doivent se tromper.

— Je suis pas un voleur, je ne vous permets pas.

— Monsieur, le plus simple, c'est d'avouer et de payer. Ne nous obligez pas à appeler la police.

— Papa, tu as pris quelque chose ?

— Tu vas pas t'y mettre, toi aussi ! Je te dis que j'ai rien volé.

— Pouvez-vous vider votre sac ?

Mon père obtempère. Un portefeuille, une boîte de cigarettes, une lampe torche, un rouleau de papier toilette, quatre briquets, un allume-feu, une balle de tennis, des Post-it froissés, des tickets de caisse, des pièces, un stick de déodorant usagé. En découvrant le paquet de mots qu'il réserve aux voitures mal garées, les deux hommes se regardent en riant.

— Vous voyez que j'ai rien pris. On peut y aller ?

— Pouvez-vous vider vos poches, s'il vous plaît ? demande le deuxième vigile.

— Je peux me mettre à poil aussi, mais je vais vous donner des complexes.

Les agents s'esclaffent, mon père fanfaronne. Je n'en reviens pas. On est enfermés dans un bureau sans fenêtre, mon père est accusé de vol à l'étalage, et il trouve le moyen de faire le show.

— Que faites-vous avec une paire de ciseaux ? interroge l'agent quand mon père vide la première poche de son jean.

Mon père le fixe d'un air dépité :

— Je comptais faire un hold-up, mais je me suis fait attraper.

— Papa, ce n'est pas drôle.

— Monsieur, videz les autres poches de votre pantalon.

Il s'exécute et dépose sur la table trois sachets vides de mini-cakes aux fruits, deux emballages de Mars et un harmonica pour enfant.

266

— Avez-vous payé ces articles, monsieur ?

Il regarde la personne qui lui a posé la question, l'air hagard. Il ne semble pas comprendre ce qu'on lui reproche. L'homme en uniforme pose sur la table une boîte ouverte de mini-cakes et un paquet entamé de Mars :

— Vous avez laissé ceci dans les rayons, et vous avez quitté le magasin. Vous ne comptiez pas non plus régler le jouet. C'est du vol à l'étalage, vous encourez trois ans de prison et 45 000 euros d'amende.

— Je vais payer, dis-je d'une voix sourde.

Mais les hommes ne comptent pas s'en contenter :

— Monsieur, vous vous rendez compte de ce que vous avez fait ?

— Ce n'est pas moi. Je sais pas ce que ces trucs faisaient dans mes poches.

— Pourtant, sur la vidéo, on vous voit bien. Il n'y a aucun doute.

— Combien vous dois-je ? j'insiste.

— Monsieur, reprend le vigile, vous reconnaissez les faits ou on doit appeler la police ?

— Appelez qui vous voulez, lâche mon père en riant. Mais dites-leur de faire attention, je suis armé de ciseaux à ongles.

Je me liquéfie sur ma chaise. Les deux hommes ont manifestement encore moins d'humour que moi, et prennent la désinvolture de mon père pour de la provocation. Je devrais leur expliquer qu'il souffre de troubles cognitifs, mais je suis incapable de prononcer cette phrase devant le principal intéressé.

Je tente une dernière fois de leur demander le montant du dommage, mais seuls les aveux de mon père les intéressent. Il finit par se tourner vers moi, et ce que je vois dans ses yeux me lacère le cœur.

— Microbe, j'ai vraiment volé ces trucs ?

Je sens le regard des agents sur moi, lourd de leurs attentes. Je suis leur clé. J'ai le pouvoir de déverrouiller la situation, de leur permettre de relâcher mon père avec un simple sermon et d'aller arrêter d'autres malfrats. Je peux mettre mon père dans l'embarras, lui faire comprendre qu'il a lâché la rampe, le placer face à ses glissements. Je le peux.

— Non, papa, c'est moi qui ai mis ça dans ta poche, j'ai voulu te faire une blague. T'as vu, moi aussi j'ai un humour pourri !

Mais je préfère encore que l'on me passe les menottes.

Chapitre 58

— Tu as passé une bonne journée, chéri ? je demande à Charlie en quittant le parking de l'école.

— Oui.

— Tu as fait quoi ?

— Je sais plus.

Il me signifie la fin de cette passionnante conversation en se penchant sur un Lego. Je m'insère dans le trafic de fin de journée en pensant à celui qui ne le fera plus.

On a mis la voiture de mon père en panne.

Il y a eu un nouvel accrochage, la semaine dernière. Une éraflure pour le pare-chocs, une prise de conscience pour moi. Et s'il se tuait ? Et s'il tuait quelqu'un ?

Il m'a fallu cinq jours pour oser lui parler.

Je lui ai demandé s'il était envisageable, éventuellement, si possible, de peut-être réduire très légèrement ses déplacements, sans obligation, merci d'y réfléchir, pardon de t'avoir dérangé.

Il est entré dans une colère noire. Il ne se voit pas malade, comment pourrait-il en accepter les conséquences ?

Même s'il ne sortait plus beaucoup, il en avait la possibilité.

Hier, j'ai dû prendre la décision.

Il m'a appelée pour m'annoncer qu'il était en panne. Je venais de quitter le travail, je le croyais à la maison. Il était parti acheter une perceuse, parce qu'il s'était rendu compte qu'il n'en avait pas, logique infaillible. J'ai deviné qu'il avait encore oublié de mettre de l'essence, j'ai chargé Gaëtan de récupérer Charlie à l'école, rempli un jerricane et demandé à mon père où il se trouvait. Il n'en avait aucune idée. Quand j'ai tenté de lui soutirer quelques indices, j'ai compris qu'on était mal barrés. Il avait roulé longtemps, était arrêté sur de l'herbe verte, près d'une route noire, sous un soleil jaune. Au loin, il apercevait une maison blanche devant laquelle se trouvait une boîte aux lettres. C'est finalement un passant qui lui a donné sa position. Il était à quatre-vingts kilomètres de la maison, à l'opposé du magasin où il projetait d'acheter sa perceuse. Il n'avait pas la moindre idée de la raison de ce détour.

J'ai refait une tentative.

— Papa, il faudrait vraiment réfléchir à moins conduire. Tu pourrais te contenter de petits trajets que tu connais bien. Qu'est-ce que t'en penses ?

270

— J'en pense que tu me fais chier, Juliane.

J'étais assez d'accord avec lui. Je faisais considérablement chier. Je me pointais devant lui avec mon grand sourire et je lui proposais de lui couper les ailes. Ce n'était pas d'une voiture que j'allais le priver, c'était de son autonomie.

On a fait ça dans la nuit. Gaëtan a enfilé autour de sa tête un élastique muni d'une lampe de poche, on aurait dit un gynécologue, et il a plongé dans les entrailles du Berlingo.

Mon père a mis trois jours à s'en rendre compte.

— Ma voiture ne démarre pas, m'a-t-il dit un matin au téléphone.

— Ah bon ? (Standing ovation de l'académie des César.)

— Colin m'a proposé d'y jeter un œil, il est parti chercher ses outils.

Évidemment, il n'a pas fallu longtemps au voisin inopinément serviable pour remarquer qu'un fusible avait disparu. Il a compris et a déclaré à mon père qu'il ne voyait pas d'où pouvait venir la panne.

Il s'en est contenté. Il y a encore trois mois, il aurait mis les mains dans le cambouis, la mécanique l'a toujours intéressé. Il n'y a même pas songé.

C'est difficile à appréhender, pour qui pense normalement, cette disparition de la réflexion, de la considération.

Mon père ne conduit donc plus. Un nouveau pan de sa vie qui se désintègre.

Les souvenirs viennent danser. La route des vacances, lui au volant de la 205, ma mère à ses côtés, vitres grandes ouvertes, cheveux dans les yeux, musique à fond. La première fois où j'ai pu m'asseoir sur le siège passager, un peu avant l'âge légal, mon sentiment d'importance. Les samedis où il venait me chercher aux anniversaires avec sa 4L cabossée qui me donnait envie de m'enfoncer dans le sol. Les soirs noirs d'hiver où on parcourait les villages pour s'extasier devant les plus belles illuminations de Noël. Les cours de conduite qu'il me donnait sur le parking du supermarché, les créneaux qu'il ratait en se targuant de les réussir. Le trajet vers la mairie, quand il m'a conduite à mon futur mari, son émotion qu'il ensevelissait sous des tonnes de blagues.

— Tu pleures, maman ? demande Charlie en me fixant dans le rétroviseur.

Je m'essuie les yeux.

— C'est à cause que papy il oublie ses souvenirs ?

Je ne savais pas comment aborder ce sujet avec mon fils. J'ai glissé cette partie du problème sous un mouchoir, en me promettant de le soulever un jour. J'avais le sentiment que Charlie ne remarquait rien, j'ai repoussé, vaine tentative de grappiller quelques jours d'innocence.

— Oui, ça me rend triste, mon chéri.

— Moi aussi. Mais pourquoi ses souvenirs ils s'en vont ?

— Parce qu'une maladie les lui vole.

Il hoche la tête d'un air entendu. Je me demande ce qui se passe dans sa petite caboche, ce qu'il comprend, ce qui l'inquiète. Son regard flotte un moment. La pluie ruisselle sur les vitres, la circulation est dense. Charlie finit par revenir de son monde intérieur.

— C'est pas grave si papy il perd ses souvenirs, parce que nous, on les a encore.

Chapitre 59

La journée a visiblement été éprouvante pour Charlie.

Ce matin, il a tenu à se rendre à l'école avec une plume sur la tête, coincée dans un bandeau. Quand je l'ai vu sortir de sa chambre, j'ai cru qu'il plaisantait. Il m'a habituée à étouffer ses accès d'originalité plutôt qu'à les revendiquer. Mais son grand-père avait réussi à le convaincre que le seul avis qui comptait était le sien. J'ai été tentée de l'en empêcher, mais je me suis contentée de le prévenir que certaines personnes risquaient de rire de lui.

— Je m'en fiche, a-t-il affirmé, je fais comme les Indiens.

Dans le rétroviseur, je constate qu'il ne s'en est pas fiché. Visage cadenassé, regard braqué sur le paysage filant, il ne lâche pas un mot.

Mon père est assis sur le siège passager. Il a tenu à m'accompagner, il le propose parfois, lorsque l'envie lui prend de renouveler son horizon. Ses tentatives pour faire rire son petit-fils sont vaines. Il allume la radio et se penche vers moi :

— Tu te souviens, les morceaux dont tu m'as parlé l'autre jour ? Ceux que tu chantes à tue-tête quand tu es seule. Tu les as ?

J'opine du chef.

— Comment tu les mets ?

Je lui tends mon téléphone et le guide dans l'application musicale à laquelle je suis abonnée. Quelques minutes plus tard, les premières notes de « Killing in the Name », de Rage Against the Machine, ricochent contre les vitres. C'est comme une réaction chimique, j'entre en éruption, je suis un serpent face à la flûte.

La guitare ; mes poils se dressent.

La basse ; mes muscles se raidissent.

La batterie ; ma tête est un métronome, le volant une grosse caisse.

Mon père est en transe. Ses bras s'agitent dans tous les sens, ses pieds battent la mesure, il hurle des mots qui n'existent pas. La musique plus forte que l'apathie.

Les gens sont étonnés quand je dévoile la musique que j'aime. Je le fais rarement, il faut que je me sente en confiance pour avouer vibrer sur du rock, qu'il soit hard ou plus doux. Je n'ai apparemment pas la tête de mes goûts. J'ai essayé de m'aligner, j'ai attendu que mon ventre prenne feu sur de la pop, j'ai guetté les accélérations de mon palpitant sur de la variété, mais je n'y peux rien, j'ai une guitare électrique dans les gènes. Il faut que ça pulse, que ça envoie, que ça bastonne, et je m'embrase, et je m'envole, et je m'enivre.

Dans le rétroviseur, Charlie se déride. Que son grand-père se prenne pour une star du rock, passe encore. Mais quand arrive le solo de guitare, et que, à la faveur d'un feu rouge, sa mère se transforme en Jimi Hendrix, sa contrariété se transforme en mauvais souvenir. Alors, il se munit de baguettes imaginaires, enfile un sourire surexcité et nous rejoint sur la scène du plus beau concert de ma vie.

Chapitre 60

Nous sommes en retard pour le premier rendez-vous chez l'orthophoniste. Celle que nous a conseillée Lucie se trouve près de la maison, après cette prise de contact mon père pourra s'y rendre seul, à pied. Je lui ai téléphoné en quittant le travail, pour lui rappeler de se tenir prêt, c'est donc tout naturellement qu'il m'attendait en pyjama. Je me suis entendue lui dire les mêmes phrases que je répète chaque matin à Charlie : « Dépêche-toi », « Plus vite », « Ton tee-shirt est à l'envers », « Tu as pensé à prendre ton sac ? ».

— Je t'attends dans la voiture, je te laisse fermer à clé, lui dis-je tandis qu'il lace ses baskets.

— OK, Microbe.

Je m'installe sur le siège passager et démarre le moteur.

Une minute.

Deux minutes.

Trois minutes.

Quatre minutes.

Je me catapulte hors de l'habitacle et bondis jusqu'à la porte de la maison, que j'ouvre à la volée. Mon père, assis sur le canapé, regarde la télé.

— Papa ! Qu'est-ce que tu fous ?

Il me sourit :

— C'est un reportage sur Janis Joplin, je l'adore.

J'ai très envie de l'envoyer la rejoindre. Je découvre l'art de la maîtrise de soi, je m'empêche de lui reprocher de nous mettre en retard à un rendez-vous qu'il a vraisemblablement oublié et l'informe que l'orthophoniste nous attend. J'ajoute un chapelet de grossièretés, mais uniquement dans ma tête.

L'orthophoniste a l'indulgence de l'habitude. Ses étagères sont chargées de jeux de société, de jouets et d'outils ludiques. Elle a de longs cheveux gris et des ongles peints en violet.

— Je peux vous appeler Jean ? demande-t-elle d'entrée. Moi, c'est Gisèle.

Elle me plaît instantanément. Mon père est sur la réserve, il répond par des grognements ou des monosyllabes aux questions qu'elle lui pose. Elle finit par lui demander si ça l'ennuie d'être là.

— Ouais. Je vois pas l'intérêt.

Elle lui explique qu'elle va l'aider à travailler la planification et l'organisation qui lui font défaut. Il n'a pas l'air convaincu.

— Pourquoi êtes-vous venu ? le questionne-t-elle.

— Parce que ma fille m'a emmené.

Elle explose d'un rire sonore, il se détend. Amuser les autres est son shoot d'héroïne.

Le reste de la séance est consacré à l'explication des symptômes qui ont poussé mon père à consulter. C'est moi qui m'en charge, chaque mot me coûte, j'ai l'impression de lancer des poignards droit dans le cœur de mon père. Pourtant, comme à chaque fois, j'ai cette étrange impression qu'il ne se sent pas concerné.

Mon père s'enfuit fumer une cigarette tandis que Gisèle nous raccompagne à la porte. J'en profite pour lui faire part de mon sentiment.

— C'est possible, m'explique-t-elle. Il arrive souvent que les personnes atteintes de démence ne se rendent pas compte de leur état, cela s'appelle l'anosognosie. C'est pour cette raison que c'est souvent l'entourage qui s'inquiète.

— Ça semble improbable qu'il ne remarque pas ses changements de comportement et d'humeur, il y a des nouveautés chaque semaine, ça évolue à une vitesse folle.

— Cela ne m'étonne pas. Malheureusement, dans ce genre de pathologie, plus le patient est jeune et plus la progression est rapide.

Je la remercie et rejoins mon père devant le cabinet. Il est en grande conversation avec un chien errant. Il râle, je l'ai fait attendre en plein soleil, je l'attrape par le bras et l'entraîne vers le parking, ma tête posée contre son épaule.

— Ça va aller, papa.

— Facile à dire, Microbe. C'est pas toi qui vas avoir un coup de soleil sur le crâne.

C'est à cette certitude – il ne se rend pas compte – qu'il faudra que je m'accroche de toutes mes forces quand le chagrin m'engloutira. S'il ne sait pas, il ne souffre pas.

C'est pour nous que c'est grave. Lui, il perd sa carte Vitale. Nous, notre père.

Chapitre 61

Il a reçu une nouvelle lettre. Elle est restée plusieurs jours sur le placard de l'entrée, comme les deux précédentes. Les premières étaient délicatement parfumées, celle-là sentait tellement fort qu'elle pouvait déboucher les canalisations. La personne qui les a écrites a manifestement très envie qu'elles soient lues.

J'en ai parlé à mon père lors de notre dernier footing. Il est resté très secret, ce qui n'a fait qu'attiser ma curiosité.

En sortant la poubelle, j'aperçois une silhouette qui s'éloigne de la boîte aux lettres en courant. Je la rejoins au moment où elle s'engouffre dans sa voiture, garée au coin de la rue. Le parfum des lettres l'enveloppe. C'est une femme au visage marqué par les années et aux longs cheveux noirs. Elle sursaute en me voyant.

— Pardon, je ne voulais pas vous faire peur, lui dis-je.

— Qui êtes-vous ?

— La fille de Jean.

Elle se raidit, me dévisage en silence, puis sa bouche se tord, ses yeux se noient, et elle éclate en sanglots.

Elle s'appelle Malika, elle a rencontré mon père à l'hôpital. Il accompagnait un ami blessé à la main, elle était infirmière de garde. C'est lui qui a fini alité, après une crise d'angoisse carabinée. Il avait de mauvais souvenirs à l'hôpital, a-t-il expliqué. Ce grand gaillard sensible l'a attendrie. C'était il y a cinq ans. Ils sont amoureux, me jure-t-elle. Elle me répète, émue, les mots qu'il lui chuchote. Ils ne veulent vivre ensemble que les bons moments, échaudés l'un et l'autre par un mariage malheureux. Ils ne dorment pas ensemble, mais dans leurs rêves ils sont deux. Ils se voient tous les jours, depuis qu'ils sont à la retraite, ils se promènent, visitent, découvrent, regardent, apprennent, partagent. Désormais, elle conjugue leur vie à l'imparfait. Elle a bien remarqué que quelque chose clochait. Un désintérêt, un éloignement. Parfois, il était carrément absent. Il y a eu l'incendie, le déménagement, elle a eu peur au début, mais rien n'a changé. Ils se rejoignaient chaque matin, chez elle, dans un café, dans un parc, quelquefois même chez moi. L'arrêt a été brutal. Un jour, il n'est tout simplement plus venu.

— J'ai cru qu'il voulait rompre, dit-elle, mais il répondait au téléphone, et, quand je passais le voir, il avait l'air sincèrement heureux. J'ai mis du temps à comprendre qu'il avait juste oublié de penser à moi.

— C'est pour ça que vous lui écrivez ?

Ses larmes redoublent :

— Je lui raconte notre histoire. J'ai peur qu'il nous oublie.

Je rentre un quart d'heure plus tard. Gaëtan et mon père sont devant la télé, les pieds sur la table basse. Ils tournent la tête vers moi quand la porte se referme. Mon père se lève d'un bond et s'avance en souriant vers celle qui habite encore ses souvenirs.

Chapitre 62

Je suis épuisée.

J'achète son tabac, ses médicaments, je gère ses comptes, je ramasse les emballages qu'il jette par terre, je tire la chasse derrière lui, je nourris Apache, je réponds à ses vingt appels quotidiens, je cherche ses lunettes, ses cigarettes, sa carte Vitale, ses chaussettes, son livre, ses CD, son caleçon, sa brosse à dents, son rasoir, je lui rappelle ses rendez-vous, ses traitements, je m'occupe de ses papiers, des travaux de sa maison, je le motive à se laver, marcher, courir, s'habiller, je nettoie le café qui a coulé sans tasse pour le recevoir, je vérifie les dates de péremption de ses yaourts préférés, je dégote son code PUK chaque fois qu'il entre trois codes PIN erronés, je tiens un registre de ses mots de passe, je l'accompagne aux rendez-vous, je répète inlassablement les mêmes réponses aux mêmes questions.

Je suis en colère.

On est livrés à nous-mêmes, coincés entre le trop et le pas assez.

Trop atteint pour rester seul chez lui, pas assez atteint pour être pris en charge.

Je trouve les informations sur Internet ou à la faveur d'une discussion avec quelqu'un qui a vécu la même chose.

Tout ce que je peux faire, tout ce que je dois faire, c'est surveiller l'évolution. Attendre un diagnostic, attendre un délabrement, attendre que la raison s'échappe assez pour pouvoir l'enfermer.

Sans parler de l'aspect financier, par lequel je ne suis pas encore concernée, mais qui m'inquiète déjà. Deux choix s'offrent aux personnes malades. À ma droite, le maintien à domicile, avec aides ménagères et auxiliaires de vie : qualité de vie convenable mais budget colossal. À ma gauche : le placement ou l'hospitalisation, budget conséquent et qualité de vie très aléatoire. Ce n'est pas digne.

Je ne suis pas seule, mon mari et ma sœur m'accompagnent. Comment font les gens qui n'ont personne ? Comment font les gens qui n'ont pas les moyens ? On est démunis, désemparés, largués dans un monde opaque et sinueux. On doit improviser sur un sujet que l'on ne maîtrise pas. Le chagrin serait peut-être moins lourd à porter s'il n'était pas plombé par toutes ces incertitudes.

Je suis heureuse.

Il est là. Son rire flotte dans le salon, sa mauvaise foi dîne avec nous, ses grandes paluches laissent des traces sur la porte du frigo, son parfum embaume la salle de bains, ses affaires traînent dans le salon, sa tête se balance quand il n'est pas content, ses ronflements font vibrer les murs. Il râle, il blague, il respire, il gratte, il court. Il vit. Et je suis aux premières loges de ce spectacle.

Chapitre 63

Il est rentré énervé de sa troisième séance chez l'orthophoniste. Les précédentes l'avaient déjà contrarié, mais là il a été formel : il ne veut plus y aller.

— Elle me fait faire des dessins comme un gamin. Je suis pas sénile ! Ça me stresse, j'ai une boule dans le ventre avant d'y aller.

J'ai appelé l'orthophoniste. Elle est étonnée, face à elle il n'a manifesté aucune contrariété. Elle lui a demandé de reproduire des formes géométriques simples lors de la première séance, il n'a pas réussi, elle n'a jamais réitéré. Il reste bloqué sur un événement passé.

J'appelle ma sœur, persuadée qu'elle saura le convaincre d'y retourner. Au bout de quelques minutes, c'est moi qu'elle a convaincue :

— Faut pas le forcer, Juliane. S'il ne veut plus y aller, on ne va pas l'emmerder avec ça. De toute manière, entre toi et moi, je ne suis pas sûre que ça change grand-chose.

— La gériatre affirme le contraire, ça peut ralentir l'évolution.

— Mouais. À mon avis, c'est un pansement sur une jambe de bois. Ils n'ont pas de vrai traitement, il faut bien qu'ils proposent quelque chose. Et puis, ça sert à quoi de retarder l'évolution si c'est pour lui ajouter du stress ? Foutons-lui la paix. Qu'il profite du temps qui lui reste.

Je ne suis pas d'accord sur tout, mais le dernier point me persuade que c'est la bonne option.

À la fin de sa vie, ma grand-mère paternelle était diabétique. Chaque fois que mon père nous emmenait lui rendre visite dans la chambre bleue de sa maison de retraite, il glissait une plaque de chocolat dans le tiroir de sa table de chevet. Elle n'avait pas droit au sucre, son fils était son dealer. Elle n'était pas gentille, mais je me souviens d'avoir été triste pour elle et m'être demandé à quoi bon vivre s'il n'y avait plus aucun plaisir. Le plus grand plaisir de mon père est sa liberté. On ne doit pas l'entraver.

— Tu as des nouvelles des travaux ? me demande Adèle.

— Ils sont terminés. Je ne l'ai pas dit à papa.

Le bailleur social de mon père a accepté de ne pas l'en informer, à la condition que nous engagions une procédure de mise sous curatelle. J'ai promis, un jour j'aborderai le sujet.

Je suis devenue celle qui prend les décisions. C'est le point de bascule que je redoutais.

Quelle étape délicate. À quel moment sait-on que l'autre n'est plus apte à choisir pour lui-même ? À quel moment devient-on la raison d'un autre ?

Si je lui avais posé la question, mon père aurait sans doute voulu retourner chez lui. Dans son monde, il n'a aucune raison valable de rester chez nous. C'est une parenthèse, simplement il ignore qu'elle ne se refermera jamais.

J'ai décidé qu'il ne rentrerait pas chez lui. Gaëtan a accepté, Adèle approuve. Sa maison est de nouveau habitable, mais mon père ne peut plus l'habiter. Le danger est partout, quand les gestes du quotidien se désapprennent.

— Tu le gardes chez toi ? interroge ma sœur.

— Oui. Autant que possible, il vivra ici. On peut changer de sujet ?

— Tout à fait, d'autant que je veux te parler d'un truc.

— Ah.

— Il faut que tu fasses faire un passeport à papa.

— Pourquoi ?

— Je t'annonce que, dans un mois et demi, tu l'embarques aux États-Unis.

Chapitre 64

— Papa, tu as toujours eu peur de l'avion ?

Je profite de notre footing hebdomadaire pour prendre la température, l'air de rien. On a décidé de garder le secret jusqu'au dernier moment. D'une part, parce qu'il risque d'oublier. Il lui arrive de plus en plus fréquemment de digérer les informations directement après ingestion. Selon Lucie, que j'ai appelée pour l'en informer, il s'agit davantage d'un problème d'attention : les données n'ont même pas le temps d'atteindre la mémoire. D'autre part, parce qu'il risque d'angoisser. Il a toujours rêvé d'évasion et de voyage, mais s'est contenté des destinations accessibles via la terre ferme.

— J'ai pas peur, se défend-il en allumant une cigarette. Tu sais à quel point un avion pollue ?

Je glousse :

— Sérieusement ? Un seul de tes poumons pollue plus que la patrouille de France.

— Fais gaffe, tu commences à devenir drôle.

— J'ai un bon prof.

Il a son bonnet à oreilles sur la tête. Il fait une chaleur à faire fondre ma mère, je supporte à peine mes vêtements, et il est vêtu comme pour aller skier.

Depuis plusieurs semaines, il a atteint le climax de son niveau en course à pied. Il ne progresse plus, mais maintient un rythme et une endurance qui se situent entre la batterie d'une voiture un matin d'hiver et un paresseux piqué par une mouche tsé-tsé.

J'avais le souvenir d'un père sportif. Quand j'étais petite, il se déplaçait souvent à vélo, jouait au foot avec ses copains, au ballon avec ma sœur et moi, il grimpait aux arbres, faisait de l'escalade, de la randonnée. La semaine dernière, je l'ai accompagné à un rendez-vous chez la cardiologue qu'avait prescrit Lucie. Son électrocardiogramme était parfait, sa tension un peu haute malgré le traitement qu'il prend depuis des années, mais rien d'inquiétant. En revanche, l'écho-doppler des membres inférieurs et des troncs supra-aortiques a montré un rétrécissement important des artères. Le tabac, le manque d'activité et l'hypertension en sont sans doute responsables. Cela corroborerait la suspicion de démence vasculaire. Je me suis demandé à quel point il fallait ne pas s'aimer pour détruire son corps ainsi et, juste après, j'ai pris conscience que je pouvais m'appliquer la même question.

J'insiste :

— Si tu avais une bonne raison, tu prendrais l'avion ?

— Si la bonne raison, c'est que je suis mort, oui.

À quelques dizaines de mètres de nous, une voiture monte sur le trottoir et s'arrête. Un homme en descend, ferme à clé et se dirige vers l'entrée d'un immeuble. Son véhicule barre le passage et nous oblige à descendre sur la route pour le contourner.

— Ça va, on vous dérange pas ? demande mon père en arrivant à sa hauteur.

— Je t'emmerde, vieux con.

Mon père n'a pas le temps de répliquer, l'homme s'est engouffré dans le bâtiment.

Ça ne lui plaît pas. Le dernier mot est sa propriété, il n'a pas l'habitude de le céder aux autres. Tout en poursuivant sa course, il répond à son interlocuteur fantôme.

— Ah, ça fait le malin et ça détale comme un lapin face à un fusil, on a peur d'affronter le vieux con visiblement, pourtant tu dois pas manquer de courage, il en faut une sacrée dose pour se trimballer avec ta tronche depuis la naissance, mais t'as raison d'avoir peur, je peux t'étaler en te soufflant dessus, si tu…

— Papa, calme-toi, il n'est plus là.

— Face de cul.

— C'est bon, tu peux arrêter.

— Sac à merde.

Je ris tellement que je suis obligée de cesser de courir. Il s'arrête, me regarde avec étonnement, puis s'esclaffe à son tour. On est là, plantés sur un trottoir désert, pliés en deux, à se tenir les côtes en poussant des gémissements d'hilarité. On dirait deux gamins qui viennent de faire un mauvais coup, et ça me donne une idée.

— Viens avec moi, papa.

Je rebrousse chemin, il me suit en me demandant où je vais, je ne réponds pas jusqu'à ce qu'on arrive à la hauteur de la voiture mal garée. Je me poste derrière mon père, j'ouvre son sac à dos et je plonge ma main dedans. Quand on repart quelques secondes plus tard, la voiture n'a pas bougé, mais, sous ses essuie-glaces, une dizaine de mots doux frémissent sous la brise estivale.

Chapitre 65

— Kurt Cobain a disparu ! s'écrie Gaëtan en déboulant dans la cuisine.

— Première nouvelle.

Il me regarde comme si j'avais blasphémé.

— Tu ne comprends pas, Juliane ! Ma collection de CD est décimée !

Il y a beaucoup de place dans le cœur de mon mari, mais une bonne partie est occupée par la famille de disques qu'il héberge dans la bibliothèque. Elle est née durant ses années collège, avec un album de Dire Straits, et n'a cessé de grandir depuis.

La musique est sa passion, c'est l'une des choses qui nous ont rapprochés. Il ne se contente pas de l'écouter, il la vit. Il peut rester des heures, les yeux fermés, à écouter les instruments faire valser ses émotions. Parfois, il tend son bras pour me montrer ses poils au garde-à-vous. Il possède une culture musicale qui en épate plus d'un, née de la curiosité d'un adolescent qui se sentait seul. Je connais son humeur à la musique qu'il écoute.

Il ne se résout pas à passer à la musique dématérialisée. Il aime l'objet, le glisser dans le lecteur et choisir la piste, il aime la pochette et tout ce que l'artiste y a glissé. Il aime ranger une nouveauté sur l'étagère, l'intercaler entre celui qui le précède et celui qui le suit dans l'ordre alphabétique. Il aime savoir qu'ils sont là, sous le même toit que lui. Il aime me les faire découvrir, guetter mes réactions. Il aime initier notre fils à cet art qui n'en égale aucun autre selon lui.

Parfois, il partage une écoute avec mon père, sans un mot, et ça m'émeut de voir les hommes de ma vie vibrer à l'unisson. D'autres fois, mon père le charrie pour ses goûts aléatoires. Gaëtan est incapable de se séparer d'un CD, même s'il ne l'assume pas totalement, c'est ainsi qu'il se retrouve, parmi les œuvres de Pearl Jam, Massive Attack, Incubus, des Fugees ou des Red Hot Chili Peppers, avec celles d'Indra, de Dance Machine 2 et d'East 17.

Quand Gaëtan m'informe de la situation, j'en prends immédiatement la mesure : si un kidnappeur lui laissait le choix entre ses disques et moi, il hésiterait.

— Comment ça, décimée ?

— Il manque une cinquantaine de disques, il y a des trous partout, c'est horrible !

C'est un garçon modéré.

— Tu as demandé à mon père ?

— Il est sous la douche.

— Et Charlie ?

— Il ne sait pas. C'est incompréhensible, je ne vois pas ce qui a pu se passer. Tu penses qu'Apache aurait pu les manger ?

— Bien sûr, tu n'entends pas la musique quand il ouvre la gueule ?

Il reste stoïque, tracassé par cette mystérieuse disparition. Je me rends sur la scène de crime à la recherche d'indices. Aucun ordre défini n'apparaît, les disques semblent avoir été prélevés au hasard. Mon père sort de la salle de bains, vêtu d'un short en jean et d'un tee-shirt froissé. Il dégouline, il a visiblement zappé la partie essuyage.

— Papa, il manque des CD à Gaëtan, tu les aurais pas vus ?

— Si, j'en ai pris quelques-uns, je vous l'ai pas dit ?

— Non, répond mon mari, entre soulagement et panique. Ils sont où ?

Sans un mot, mon père se dirige vers la porte d'entrée, l'ouvre et sort dans le jardin. On le suit. La tension est insupportable, on dirait un épisode de *Derrick*. Il tend le doigt, on tourne la tête.

— C'est hyper efficace, crâne-t-il. Y a plus un merle.

Je n'ose pas regarder Gaëtan, même pour m'assurer qu'il est encore vivant. Sur chaque branche du cerisier se balancent des cordelettes au bout desquelles sont accrochés ses précieux CD.

Chapitre 66

Le destin sème souvent des signes sous notre nez. Quelquefois, on passe à côté sans les identifier, et d'autres, à la faveur d'une intuition ou de ce que l'on nomme un hasard, on s'y arrête. Je ne saurais dire ce qui me pousse à ouvrir l'une des boîtes de médicaments de mon père. Elle traîne, comme les autres, sur le plan de travail de la cuisine depuis des mois sans que je m'y intéresse, si ce n'est pour la ranger hors de ma vue.

Le geste est machinal, et ma réaction immédiate. J'ai acheté cette boîte la semaine dernière, il avale un comprimé chaque matin, pour maîtriser son hypertension, il devrait en rester davantage. Je compte et recompte, le constat est sans appel : mon père n'arrive plus à suivre son traitement correctement.

Affolée, j'envoie un mail à Lucie. Je me refrène pour ne pas la contacter à chaque nouvelle évolution, mais celle-ci me semble importante. Sa réponse arrive rapidement et tient en deux points.

Primo, je dois le surveiller pendant les heures à venir pour m'assurer qu'il n'a pas un comportement étrange consécutif à un surdosage.

Secundo, elle joint une prescription pour qu'une infirmière vienne lui donner son traitement chaque matin.

C'est une étape charnière.

Après la voiture, c'est encore un peu d'autonomie qui est entamée.

Il ne peut plus vivre seul en sécurité. Il a besoin d'une personne étrangère pour compenser une partie de lui qui ne fonctionne plus correctement. J'ai cette image d'un puzzle représentant mon père, et d'une pièce qui tombe. Il y a trou dans le puzzle, et on n'a pas de pièce de rechange, alors on va prendre quelqu'un, qui va poser son doigt sur le trou, comme ça on ne le verra pas.

Je range les médicaments dans un tiroir. En attendant de faire appel à une professionnelle, je me chargerai de les lui donner. La plaquette d'antidouleurs, qu'il prend quotidiennement depuis longtemps pour supporter les conséquences de ses années de travail à la chaîne, me semble également excessivement entamée. Seule la boîte de somnifères est intacte, sans surprise.

D'aussi loin que je me souvienne, mon père n'avait pas le sommeil naturel. Son esprit se réveillait quand son corps s'allongeait, et ses soucis, si mineurs fussent-ils, l'empêchaient de s'abandonner dans les bras de Morphée. La chimie bâillonnait les encombrantes pensées et lui offrait le repos que son corps fourbu réclamait.

Enfant, j'étais fascinée par l'effet de cette pilule. Les soirs de semaine, mon père se couchait tôt. Depuis ma chambre, je l'entendais annoncer qu'il prenait son cachet, puis se rendre dans la sienne à la hâte. Je comptais les secondes, persuadée qu'il avait un temps limité avant que son corps ne disjoncte comme ça arrivait souvent avec le tableau électrique dans le garage. Une fois, après le divorce, j'ai assisté à la transformation, et j'ai été presque déçue de constater que le médicament n'était pas un disjoncteur mais un ralentisseur. Il pouvait encore ouvrir les yeux, parler, même marcher, il était simplement très lent. Il ressemblait à un walkman aux piles usées.

Je préférais ses insomnies. J'étais souvent réveillée par un cauchemar, toujours le même. J'étais au fond du jardin, sur la balançoire, quand un danger surgissait du fossé. Je ne le voyais pas, je le sentais. J'essayais de m'échapper, mais je ne pouvais pas, mon corps était tétanisé. Je hurlais alors, je tentais d'alerter mes parents, je m'époumonais, mais aucun son ne sortait. Invariablement, au terme d'interminables efforts, je parvenais à m'enfuir en nageant la brasse dans les airs. J'étais arrachée à ma nuit, le cœur battait dans mes tempes, mes yeux écarquillés fixaient la pénombre. Et puis, j'entendais mon père tousser, le lit grincer, j'apercevais un trait de lumière sous ma porte, et je me rendormais, rassurée par la veille du gardien de mon sommeil.

La semaine dernière, quand je suis rentrée avec le sac de la pharmacie, il m'a annoncé que je pouvais rapporter les somnifères.

— J'en ai plus besoin.

J'ai souri, le félicitant pour cette bonne nouvelle, mais, en réalité, je ne suis pas sûre qu'il y ait lieu de se réjouir. Mon père est atteint d'une maladie qui lui vole même ses soucis.

Chapitre 67

Charlie boudait quand on a quitté la maison. Maintenant qu'il a découvert le pouvoir de la musique, il ne conçoit pas que l'on se rende à un concert sans lui. Mon père lui a promis de tout lui raconter, il s'est encore renfrogné.

— Ça fait des siècles que je suis pas venu ici, lâche mon père tandis que nous nous dirigeons vers l'entrée de la salle.

Je ne lui ai pas fait la surprise. L'avantage de sa mémoire qui baisse le rideau, c'est qu'il a droit à plusieurs premières fois. À trois reprises, je lui ai dit que nous allions voir Deep Purple, à trois reprises la Voie lactée a brillé dans ses yeux.

J'étais très tentée par des places assises. À vrai dire, si j'avais pu assister au concert depuis mon canapé, je n'aurais pas dit non. Mais j'ai pensé à mon père. Les portes s'ouvrent, et nous nous dirigeons vers la fosse.

Quand Ian Gillan et ses acolytes entrent en scène, la salle s'embrase. Mon père glisse deux doigts dans sa bouche et siffle, à quelques centimètres de mon oreille gauche. La droite, quant à elle, est transpercée par un autre bruit, plus strident encore. Je tourne la tête et découvre mon mari en train de hurler comme un fan de Justin Bieber.

Ils attaquent fort, « Highway Star », dès les premières notes mon cœur est en apesanteur, comme quand on prend une bosse sur la route. Mon père et Gaëtan ne font qu'un avec la foule en liesse, bras en l'air, tête sur ressort. Les membres du groupe ont les années dessinées sur la peau, dans le public nombreux sont ceux qui ont l'âge de la retraite, pourtant, ce soir, tout le monde a vingt ans. C'est émouvant, cette jeunesse aux cheveux blancs.

Les titres s'enchaînent, « Hush » et son na-nanana entonné en chœur, « Black Night », « Perfect Strangers », et chacun convoque un souvenir, et je danse, et je chante, et je pleure, et je vibre. Gaëtan m'enlace, mon père se déhanche, nous sommes en communion sur les mêmes accords. Ce ne sont pas des chansons, ce sont des éclats de vie.

Les solos s'enchaînent, les doigts de Steve Morse enflamment la guitare, Ian Paice se déchaîne sur la batterie, Don Airey transcende le clavier, je sue, je n'ai plus de souffle, je n'ai plus de voix, je veux faire ça tous les jours.

« Smoke on the Water » arrive, seul morceau dont je sache jouer quelques notes à la guitare. J'ai arrêté cet instrument de torture quand j'ai compris que mes deux mains refusaient de fonctionner séparément, un peu comme les Balkany. On sait que c'est le dernier morceau, alors on donne tout. On joue de la basse en secouant la tête, on hurle le refrain, on saute, c'est le bouquet final, le sursaut avant l'adieu.

Les applaudissements éclatent, ça siffle, ça crie, ça tonne. Le groupe se fait désirer, avant d'accorder un ultime moment ensemble. Je me balance à contretemps, je ne suis plus le rythme, je suis sortie du tout pour observer mon père, debout dos à moi. Ses bras comme des lianes, ses épaules nonchalamment voûtées, son dos qui revendique son droit à être un peu tordu, ses jambes trop hautes pour lui, sa nuque plissée, ses oreilles qui ne s'excusent pas d'être là. Qu'est-ce que je l'aime, cette grande carcasse. Je ne sais pas ce qui me prend, l'adrénaline, la fatigue, la ferveur, j'enjambe le mètre qui nous sépare et je le serre contre moi. Peut-être qu'en le tenant très fort il ne partira pas.

Chapitre 68

J'ai quitté le bureau plus tôt, comme chaque dernier vendredi du mois de juin. La kermesse commence à quinze heures, Gaëtan nous rejoindra avec mon père. De loin, j'aperçois Charlie et les autres élèves de sa classe, qui répètent une dernière fois le spectacle. Ils sont tous vêtus d'un tee-shirt blanc et d'un jean. Je prends des photos en zoomant au maximum, même si je sais que je ne les regarderai jamais.

Je possède des milliers de photos de mon fils, de mon mari, de mon père, de ma mère, de ma sœur, de mes amis. Elles gisent dans mon téléphone, ou mon ordinateur, attendant le jour où je les classerai. Je rêve de dossiers rangés par date et événement, contenant des images portant le nom de ceux qu'elles enferment, mais, chaque fois que je décide de m'y atteler, je suis confrontée à deux problèmes.

Premièrement, je suis incapable de supprimer un cliché, si flou, mal cadré ou inutile soit-il. Il suffit qu'il comporte un bout de quelqu'un que j'aime pour que je ne puisse me résoudre à le faire disparaître. Je me retrouve ainsi avec des dizaines de photos quasiment identiques, à l'exception d'un imperceptible détail.

Deuxièmement, quand je consulte des photos, je suis envahie d'une insondable nostalgie. Elles sont le témoin d'un moment évanoui, et, si j'évite habituellement de rendre visite au passé, le voir sur papier glacé est une morsure qui me rappelle que le temps cavale.

Il reste une vingtaine de minutes avant le début du spectacle. À l'ombre d'un châtaignier, je discute avec les autres parents, tandis que les enfants courent autour de nous en attendant que la maîtresse les appelle. Charlie, accroupi, semble chercher quelque chose dans l'herbe. Je le rejoins :

— Tu fais quoi, chéri ?

— Je cherche un trèfle à quatre feuilles.

— Tu ne joues pas avec tes copains ?

— J'ai pas envie.

— Ils t'ont embêté ?

Il hausse les épaules.

— Charlie, qu'est-ce qui s'est passé ?

— Rien.

Son copain Lucas nous rejoint :

— Allez, viens, Charlie ! C'est pas grave, fais pas la tête.

Je me tourne vers l'enfant :

— Lucas, il s'est passé quelque chose ?

— Oui ! Charlie m'a traité de débile, mais je m'en fiche, je lui en veux pas.

Mon fils ne bouge plus. J'envoie Lucas jouer avec les autres, je m'accroupis à ses côtés et je cherche à savoir pourquoi il a insulté son ami. Il n'a pas d'explication, il était en colère, point barre. Je me relève sans un mot. Je ne veux pas gâcher sa kermesse, nous en discuterons à la maison.

Je regagne ma place à l'ombre en pensant à toutes les heures volées au sommeil, à croire que mon fils était une victime, martyrisé par ses camarades à cause de sa différence. Des nuits d'inquiétude à l'imaginer triste, isolé. La réalité est souvent plus nuancée que les angoisses.

J'atteins le petit groupe de parents quand plusieurs regards se tournent vers le portail. Ma curiosité me pousse à les imiter. Un homme vêtu d'un short en jean et d'un tee-shirt à l'effigie de Lou Reed vient d'entrer dans la cour. Un troupeau d'enfants subjugués s'agglutine autour de lui. Mon fils se rue vers lui en criant « papy ». Mon père ouvre ses bras pour l'accueillir, tandis qu'un large sourire éclaire son visage surmonté d'une gigantesque coiffe de chef indien.

Chapitre 69

Lucie consulte le dossier posé devant elle et lève les yeux vers mon père.

— Vous êtes vraiment étonnant, monsieur Piccoli.

— Vous n'êtes pas la première à me le dire.

La semaine dernière, il a passé la scintigraphie cérébrale. Il lui a fallu respecter des précautions : être à jeun, ne pas fumer, ne pas ingérer de bonbon, pastille ou chewing-gum, et ne pas réaliser d'effort physique intense au cours des quarante-huit heures qui précédaient l'examen, ce qui ne lui a pas trop coûté. L'infirmière l'a prévenu qu'il serait faiblement radioactif pendant quelques heures, il les a passées à guetter l'apparition d'un troisième bras.

— Les tests cognitifs montrent une dégradation depuis le précédent rendez-vous, poursuit la gériatre. Mais il n'y a pas de corrélation avec les images. Vos symptômes ressemblent à une atteinte de la zone frontale, or, on n'y trouve pas de lésion. En revanche, la scintigraphie montre un hypermétabolisme glucidique cortical profond et sévère des aires associatives postérieures pariétales droites. Pour faire simple, des zones dans votre cerveau ne fonctionnent pas correctement, en particulier celle qui fait l'analyse visuelle de l'environnement. Il n'y a pas de rapport avec vos difficultés de concentration, ça m'intrigue. Je n'aime pas ne pas comprendre.

Elle pose son regard sur moi et passe aux détails techniques. Il faudrait effectuer une ponction lombaire, reprendre des séances d'orthophonie, assister à des ateliers de stimulation cérébrale.

— Vous conduisez, monsieur ?

— Oui.

— Il faudrait arrêter.

Son visage se verrouille, ses mains se crispent sur ses cuisses :

— Hors de question.

— Sa voiture est en panne, dis-je. Il ne conduit pas en ce moment.

— Vous commencez tous à m'emmerder, fulmine-t-il en fixant le sol. J'ai besoin de ma voiture, je m'en sers tous les jours et ça changera pas. Comment j'irais chercher les biscuits pour Geronimo ?

D'un signe de tête, je fais comprendre à Lucie que mon père ne conduit plus depuis longtemps. Elle acquiesce et passe à un autre sujet, pendant que j'observe mon père du coin de l'œil. C'est la première fois qu'il se promène dans le temps. Il a attrapé le passé et il l'a invité dans le présent. Son corps se trouve aujourd'hui, sa tête est hier.

Il se lève et se plante face à un tableau représentant une nature morte. Lucie se penche au-dessus de son bureau et me demande à voix basse :

— Vous avez fait une demande d'APA ?

— APA ?

— L'allocation personnalisée d'autonomie, c'est une aide financière qui permet, dans le cas d'un maintien à domicile, de faire appel à des auxiliaires de vie ou d'aménager le lieu d'habitation. Je vais te donner les coordonnées, mais je ne suis pas sûre que ton père y ait droit. Généralement, il faut une perte d'autonomie plus importante, par exemple ne plus savoir se faire à manger ou être incontinent.

Mon père, toujours captivé par la peinture, lance :

— Oh, si c'est que ça…

Lucie rit, ce qui met immédiatement fin à la bouderie.

Le rendez-vous terminé, elle nous raccompagne à la porte et serre la main de mon père. Il s'éloigne vers la sortie du bâtiment sans m'attendre, elle me retient par le bras et me murmure :

— Ça se dégrade vite, Juliane. Habituellement, c'est plus lent. Je ne sais pas ce qui se passe, mais je tiens à te donner un conseil. Profite de lui, la partie n'est pas finie. Il est encore l'heure de tous les possibles.

Chapitre 70

On a déposé Apache chez mon amie Isabelle, et on a pris la route de l'aéroport. Avec nos valises dans le coffre, on ne pouvait pas faire croire à mon père qu'on allait au supermarché. On venait de s'installer dans la voiture quand je le lui ai annoncé :

— Papa, on part à Chicago !

— Ah ? Vous partez quand ?

— Aujourd'hui, et tu viens avec nous.

Il m'a dévisagée bizarrement :

— T'es déjà bourrée à dix heures du matin ?

Il n'était pas du tout dix heures du matin, mais j'ai ri. Il comprend que c'est sérieux quand Gaëtan pénètre sur le parking de l'aéroport.

— Je ne monterai pas dans un de ces trucs, déclare-t-il en suivant du regard un avion qui décolle.

— Tu peux y aller en pédalo, si tu préfères.

— T'as peur, papy ? Moi j'ai pas peur, j'ai déjà monté dans un avion, maman m'a dit que c'est pas dangereux.

— Ta mère croit que l'huile de coude s'achète en bidon, je me méfie de son avis.

— Papa, j'avais cinq ans !

— On ne change jamais vraiment, Microbe.

Je rassure mon père en lui récitant le couplet que chaque phobique de l'avion se voit opposer : c'est le moyen de transport le plus sûr, il a plus de chances de mourir écrasé par une noix de coco, blablabla. Aucun effet.

Je gratte la corde sensible, il va voir son petit-fils Nolan et sa fille chérie, découvrir leur environnement, passer du temps avec eux, aucun effet.

Je titille son rêve américain, il va fouler le vieux continent, respirer le même air que les Indiens, aucun effet.

Gaëtan trouve une place dans la partie réservée aux longs séjours – nous partons trois semaines. On descend de la voiture, Charlie hurle d'excitation à chaque fois qu'un avion passe au-dessus de notre tête, je prie pour que sa voix s'éteigne avant mes tympans. On décharge les bagages, on prépare les billets et les passeports, mon père ne bouge pas de son siège. La panique me gagne, j'ai présumé de mes talents de négociatrice. Mon père est imperméable à toutes mes tentatives, la peur est plus forte que ses désirs, je connais ça, et je commence à envisager la possibilité de devoir annuler le voyage. Je fouille mon imagination à la recherche d'un ultime argument quand une voix familière crie mon prénom. Je me retourne en même temps que mon père.

— Maman ? Qu'est-ce que tu fais là ?

— Cache ta joie, fait-elle en s'avançant vers nous, une valise à roulettes derrière elle. Je viens avec vous !

Charlie saute dans les bras de sa grand-mère. Elle le couvre de baisers, avant de s'approcher de moi et d'en déposer un sur ma joue :

— Ne t'inquiète pas, je sais ce que vous avez prévu. Je viens juste profiter de mes petits-enfants, pour une fois qu'ils seront ensemble.

Elle se tourne vers mon père, qui fait mine de l'ignorer, mais a tout de même baissé la vitre.

— J'aurais parié que ta peur t'aurait empêché de venir.

Sans lui accorder un regard, il ouvre la portière, sort de la voiture, allume une cigarette, tire longuement dessus et souffle :

— Bon alors, on attend quoi ?

Chapitre 71

Adèle nous attend à notre arrivée à l'aéroport O'Hare. Après de rapides embrassades, elle s'inquiète de l'état psychologique de mon père après le voyage. Il s'offusque presque de cette sollicitude, ne comprenant pas pourquoi il en est le seul bénéficiaire.

— Tout s'est très bien passé, balaie-t-il.

Il ne ment pas, tout s'est très bien passé, sauf pour ma main, qui a été lacérée par ses ongles, pour l'hôtesse, qui a dû lui expliquer les turbulences à chaque sursaut, et pour Charlie, qui a appris plus de gros mots en treize heures qu'en toute une vie. Gaëtan était placé plus loin, et ma mère voyageait en classe affaires.

Deux taxis nous attendent à l'extérieur, je laisse mon père choisir le sien et me glisse dans l'autre. Me défausser sur ma sœur pendant quelques jours est le summum de mes fantasmes du moment.

Chicago défile à travers la vitre, Charlie n'en perd pas une miette. Il avait deux ans lors de notre dernière venue, il n'en a aucun souvenir. Je me demande ce qu'il en gardera, cette fois. Mes vacances de petite fille figurent parmi mes trésors les plus précieux. Nous y sommes tous heureux, passés au filtre de l'innocence. J'imagine que les souvenirs d'enfance n'auraient pas la même couleur si on les revivait avec nos âmes d'adultes.

La nuit s'installe lorsque les taxis nous déposent devant la petite maison de briques rouges de ma sœur, à Bucktown. Joanna nous ouvre la porte, je lui saute au cou. C'est en la voyant que je me rends compte à quel point elle m'a manqué. La femme de ma sœur est aussi drôle qu'intelligente, elle déploie une énergie incroyable pour transformer ses rêves en projets, elle cuisine les lasagnes comme personne, mais ce n'est pas pour ça que je l'aime. Sa plus grande qualité, c'est d'être celle qui décuple le bonheur de ma petite sœur.

Adèle est tombée dans la dépression comme on tombe d'une falaise. Elle s'est réveillée un matin avec un trou à la place de l'envie. Ça couvait depuis un moment, sans doute, mais personne n'avait rien vu, même pas elle, pourtant elle se surveillait bien. Elle s'est débattue dans les remous, elle battait fort des pieds pour remonter à la surface, elle avait à peine le temps de reprendre son souffle qu'une déferlante l'engloutissait. Elle ne se sentait nulle part à sa place, et pas taillée pour ce monde. Elle avait vingt-deux ans et n'en voulait pas plus.

Elle dit souvent qu'elle doit son retour à la vie à Joanna. Je crois qu'elle en est la seule responsable. Petite, déjà, Adèle était persuadée d'être moins solide qu'elle ne l'était. Elle se blottissait contre moi dans le lit en me livrant ses angoisses à voix basse, pour qu'elles n'entendent pas. Je lui caressais les cheveux en la rassurant, en lui expliquant, en décortiquant. Elle appréciait particulièrement la zone au sommet du crâne, je la grattouillais du bout des ongles. Elle s'endormait toujours la première. Elle est zébrée de cicatrices, c'est précisément là que se loge sa force.

Je serre longuement mon neveu dans mes bras, c'est la première fois depuis sa naissance, il y a bientôt cinq ans. Je l'aime déjà viscéralement. Charlie et Nolan sont intimidés pendant trois minutes, puis se ruent dans la chambre à l'étage. La langue n'est pas une barrière pour les deux cousins, les jeux sont un langage universel.

Mon père visite la maison pendant que ma mère commente les changements de décoration, qu'il comprenne bien qu'elle est déjà venue. Mes parents ont vécu une belle histoire d'amour, donné naissance à deux enfants, ils ont traversé quelques années main dans la main, ont écrit leur avenir ensemble, et leur relation se résume désormais à un concours de celui qui pisse le plus loin. Mon père ne semble pas réceptif, absorbé dans la contemplation d'un tableau accroché au-dessus d'une console en bois. En m'approchant, je découvre un ciel d'encre devant lequel un cheval ploie sous le poids d'un guerrier indien, dos courbé, tête tombante, une lance plantée entre les omoplates. Cette métaphore me foudroie. Comme si elle le sentait, ma sœur passe son bras autour de mes épaules. Tant qu'il ne sera pas vaincu, on portera notre guerrier sur notre dos.

La soirée est bruyante, joyeuse et riche en révélations. Nous venons d'attaquer les lasagnes quand ma mère prend la parole :

— J'ai quelque chose à vous avouer.

— Ah ! s'enthousiasme mon père. Tu vas enfin leur annoncer que t'es pas leur mère.

— J'aimerais bien, cela signifierait que je n'ai jamais couché avec toi, riposte-t-elle.

— C'est à peu près le souvenir que j'en ai.

— Maman, qu'est-ce que tu voulais nous dire ? s'enquiert Adèle en étouffant un rire.

Ma mère inspire :

— J'ai demandé le divorce.

Même mon père reste bouche bée. Ma mère profite de l'aubaine pour nous expliquer les raisons de sa décision.

— J'ai toujours dit que la vie était courte, qu'il fallait profiter, mais c'étaient des formules toutes faites dont je ne prenais pas réellement la mesure. J'ai eu comme un électrochoc récemment. Je rêve d'aller me plonger dans la fougue de l'océan, mais je n'ose pas quitter mon bain tiède par peur d'avoir froid et d'être chahutée. La peau de mes doigts est flétrie, mes ongles sont mous, mon corps est au ralenti. Je vais crever dans ma baignoire sans m'être roulée dans l'écume. J'aime José, mais je m'aime encore plus. La vie est courte, mes filles. On le comprend souvent trop tard.

Ma sœur et moi nous levons du même élan pour enlacer notre mère. La nature de son électrochoc ne fait aucun doute. La maladie de mon père est un caillou dans notre mare, les ondes nous atteignent tous.

— Il y a des Indiens dans le coin ? demande mon père à brûle-pourpoint.

— Il y en a peut-être, répond ma sœur en m'adressant un clin d'œil, mais tu n'auras pas le temps de le savoir.

Il fronce les sourcils, je ne laisse pas le suspense s'installer :

— Demain, on s'en va tous les trois pour deux semaines. Adèle, toi et moi.

— On s'en va où ?

Je n'oublierai jamais son regard au moment où la réponse atteint son cerveau. Il y a des étoiles dedans, un feu d'artifice, c'est le regard d'un gamin qui va tenir la promesse qu'il s'est faite il y a fort longtemps. Il va rencontrer la mythique Route 66.

PARTIE 6

Les possibles

Chapitre 72

« I'd Love to Change the World »
– Ten Years After

À la première heure, on s'est faufilés hors de la maison sans faire de bruit. On avait fait nos adieux hier, au moment du coucher. Charlie était heureux de passer deux semaines avec son cousin, mais c'était la première fois qu'il était séparé de moi. Il a passé une partie de la nuit dans notre lit. J'ai laissé à Gaëtan quatorze petits mots qu'il lui déposera chaque soir sur l'oreiller. J'en ai confié quatorze autres à ma mère pour l'oreiller de mon mari. Charlie a fait un dessin et nous a demandé de l'accrocher dans la voiture. Chaque membre de la famille y est représenté. J'ai des bras plus longs que les jambes et la tête grosse comme le ventre, si la vérité sort de la bouche des enfants, les complexes sortent de leurs crayons. Mon père est mieux loti, il porte un costume rouge et jaune et une coiffe d'Indien, et sa poitrine est barrée de son nom : « SUPERBIZARRE ».

Comme promis, le dessin a immédiatement trouvé sa place dans la Chevrolet qu'Adèle avait réservée. On immortalise notre départ devant le panneau historique, situé sur Adam's Street. Un passant nous prend en photo avec mon téléphone, ma sœur et moi faisons semblant de ne pas remarquer que notre père forme un V avec ses doigts derrière notre tête. Sur la quasi-totalité des clichés où nous sommes ensemble, nous avons des oreilles de lapin.

Il dort avant qu'on ait quitté Chicago. On roule en silence pendant un moment, Adèle au volant, moi sur la banquette arrière, à regarder le monde défiler. On a planifié ce road trip pendant un mois, l'excitation a poussé au fil des jours, pour atteindre son paroxysme hier, à la veille du grand départ. Et là, arrivés sur le palier du rêve, on frappe à la porte et on y entre sur la pointe des pieds.

Je fouille dans mon sac et tends un CD à ma sœur. Quelques secondes plus tard, Led Zep est avec nous, et mon père aussi.

— On arrive quand ? interroge-t-il.

— On n'arrive pas, papa. On respire et on en prend plein les mirettes.

L'Illinois n'est pas l'État le plus dépaysant. La Route 66 n'existe plus, elle a été déclassée dans les années 80, remplacée par des autoroutes, plus rapides et sûres. Le tracé originel, encore en partie praticable, est devenu un itinéraire touristique difficile à suivre : c'est une alternance de segments isolés, entrecoupés de portions d'autoroute. Je le savais avant de partir, j'ai tellement préparé le voyage que j'ai le sentiment d'être déjà venue.

On ne quitte la voiture que pour prendre des photos devant les attractions touristiques (le Gemini Giant à Wilmington, la station Ambler's Texaco à Dwight, le bus de Bob Waldmire à Pontiac) et pour les pauses cigarettes ou toilettes. On parle beaucoup, on se raconte des anecdotes qui n'ont d'autre vocation que de remplir le silence. On n'a pas fait tous ces kilomètres pour ne rien se dire. Parfois, mon père s'évade de la conversation, alors on change de sujet, et encore, et encore, jusqu'à ce qu'on tombe sur celui qui nous le ramène.

On arrive à Springfield en fin de journée. Nous faisons un détour par le cimetière où repose Abraham Lincoln, puis nous posons nos bagages au Route 66 Hotel, où j'ai réservé deux chambres adjacentes.

— On peut se baigner ? demande mon père en avisant la piscine extérieure, dont le fond affiche le logo de la Route 66.

— On n'a pas trop le temps, je réponds. On doit partir manger dans une heure, et…

— Cool, Juliane, intervient ma sœur. C'est pas grave si on mange plus tard.

— Mais j'ai réservé.

— Au pire, on annulera.

On serait passés à côté de quelque chose, si on m'avait écoutée. Il est rare de reconnaître, à l'instant même où on les vit, les souvenirs indélébiles. Dans des années, je me rappellerai la chaleur moite de ce soir de juillet, les ondulations à la surface de l'eau, le paquet de cakes aux fruits immangeables glané dans un distributeur, le couple sur les transats, je me rappellerai mon père qui plonge sans avoir ôté son tee-shirt, le rire de ma sœur, qui le rejoint en robe, le regard noir de la famille sur les transats, mon petit sourire gêné, les éclaboussures de fraîcheur, mon corps qui s'immerge, je me rappellerai ses mains qui me soulèvent et tentent de me faire voler, avant de se rendre compte que je ne pèse plus vingt kilos, son crâne ruisselant et son sourire géant, je me rappellerai sa voix qui dit « on est bien, là », et mon cœur qui dit oui.

Chapitre 73

« Little Girl Blue » – Janis Joplin

On a mangé dans un restaurant que tout le monde disait incontournable à Springfield, le Cosy Dog. Ils sont les créateurs de la saucisse à hot-dog enrobée d'une pâte à beignet frite et plantée sur un bâton. Quand j'ai expliqué le concept à mon père, il a trouvé que c'était drôle d'être connu pour avoir inventé un plat que personne ne connaît. Il en a englouti six, en plus des frites, et il aurait continué si on l'avait laissé faire. Sa sensation de satiété a définitivement plié bagage. La mienne est bien présente, comme me l'ont prouvé les deux parts de brownie.

Il avait l'air heureux, il n'arrêtait pas de se lever pour contempler les cadres, affiches et plaques d'immatriculation qui ornaient les murs, il posait son regard partout, il touchait le nombre 66 sur chaque objet, il parlait aux clients, qui ne comprenaient rien, comme pour se prouver qu'il était bien là, dans son rêve d'ado. Ce n'était pas le mien, pourtant je devais me pincer.

On a étiré la soirée. On était épuisés, on avait prévu plusieurs visites le lendemain, pourtant on ne voulait pas que cette lente douceur s'arrête. Et puis, ça a déraillé :

— On rentre quand ? a demandé mon père.

— On va y aller, ai-je répondu en me baissant pour ramasser mon sac.

— Il faut que je sorte Apache, j'aime pas le laisser seul.

Je suis restée la tête en bas, le dos rond, je n'avais pas la force de remonter à la réalité. Ma sœur s'est chargée de lui rappeler où nous étions, il n'a fallu que quelques secondes pour qu'il se reprenne. Il s'est tapé le front en riant. On est rentrés à l'hôtel, il est directement allé se coucher dans sa chambre, et on a rejoint la nôtre.

Le lit est petit, depuis que Gaëtan et moi avons investi dans un 160, je dors en grand écart. Adèle se couche à côté de moi, elle sent le musc.

— Tu te parfumes avant de dormir ?

— Oui, j'aime bien.

— Quand on était petites, tu sentais le dentifrice à la fraise.

— Ça fait longtemps qu'on n'a pas dormi ensemble, je suis trop contente !

Le silence s'installe quelques instants. Ma sœur roule vers moi et pose sa tête sur ma poitrine. Je lui caresse les cheveux, lui grattouille le sommet du crâne.

— Tu te souviens du dragon des toilettes ? murmure-t-elle en gloussant.

Je m'en souviens. Je devais avoir neuf ans, Adèle quatre. Comme toutes les nuits, elle avait trouvé refuge dans mon lit et s'était endormie le nez enfoui contre mon épaule. Elle a hurlé au cœur de la nuit, un monstre avait dévoré tout le monde, il ne restait plus qu'elle, seule face à ses milliers de dents. J'ai allumé la lumière, essayé de la réconforter, « les monstres disparaissent quand on ouvre les yeux, Adèle », mais elle était inconsolable. On est entrées dans la chambre des parents sur la pointe des pieds, ce qui, avec le recul, paraît dérisoire puisqu'on venait les réveiller. Ma mère a longuement câliné ma sœur, elle lui a chanté une berceuse, donné un verre d'eau, mais les hoquets continuaient d'agiter son petit corps. Mon père ronflait toujours, elle s'est postée à côté du lit et lui a demandé s'il pouvait s'impliquer un peu, pour une fois. Il s'est levé en soupirant, a disparu, avant de surgir quelques minutes plus tard, un seau en plastique sur la tête et un drap noué autour du cou comme une cape, brandissant dans sa main une cuillère en bois.

— Chevalier Jean Peuplu à la rescousse ! J'ai ouï dire que des monstres rôdaient dans le coin, pouvez-vous me mener à eux, que je leur coupe la tête avec mon épée magique ?

Ma sœur a légèrement souri, il était sur la bonne voie. Il nous a équipées, sous le regard faussement courroucé de notre mère. Adèle a vaillamment combattu avec sa louche, j'ai pour ma part résisté aux attaques grâce à mon casque-saladier. Nous avons guerroyé dans toutes les pièces de la maison. Nous sommes venus à bout du cyclope du placard de l'entrée, de l'affreux poulpe de la baignoire, du ver géant de la cuisine, de la sorcière sous le lit, mais le plus terrifiant restait à venir. Les toilettes étaient le repaire d'un abominable dragon, qui brûlait vif quiconque osait s'aventurer dans son champ de vision. Mon père avait un plan : ma sœur et moi devions l'appâter, il se chargerait de lui. Nous n'avons pas réussi à lui soutirer davantage de détails. On s'est avancées sans bruit, Adèle tentait de claquer des dents en silence. On a ouvert la porte à la volée et, conformément aux instructions paternelles, on s'est jetées sur le côté. C'est de là, assises sur le lino froid, qu'on a assisté à la scène d'anthologie. Il a déboulé depuis le jardin en tirant le tuyau d'arrosage. Au ralenti, on l'a vu braquer l'embout vers les toilettes et tourner la couronne qui bloquait l'eau. Il a poussé un cri de guerre quand elle a jailli, puis il a mitraillé le dragon imaginaire pendant de longues secondes. Il a gagné : le monstre a disparu, et la patience de ma mère aussi. Il a eu beau lui expliquer que le feu se combattait avec l'eau, se retrouver avec une maison inondée à quatre heures du matin l'amusait moyennement. Il a passé le reste de la nuit à éponger et, au petit-déjeuner, le chevalier Jean Peuplu portait bien son nom.

On rit tellement que le lit grince. Les ressorts du sommier nous font rebondir, on rit à s'en étouffer, j'ai l'impression que je ne reprendrai jamais mon souffle.

— J'ai pensé à un truc, l'autre jour, lâche Adèle quand on s'est calmées. Dans tous mes souvenirs avec papa, je ris. Il n'y en a pas un seul qui ne soit pas teinté de joie.

— Pareil, je réponds après plusieurs secondes de réflexion.

On reste un long moment face au plafond, tête contre tête, cœur contre cœur, à penser à celui qui colore notre passé. Mes larmes ruissellent jusque dans mes oreilles. J'éprouve un sentiment que je ne pensais pas possible. Mon père me manque alors qu'il est encore là.

Chapitre 74

« Perfect Day » – Lou Reed

Cette partie-là n'était pas prévue. Ce n'est pas l'Amérique que je visite, c'est le lâcher-prise.

La journée avait pourtant bien commencé, en suivant scrupuleusement le programme que j'avais établi. Pour commencer, on a emprunté à Auburn l'un des rares tronçons de la Route 66 ayant conservé son revêtement d'origine. C'était à mon tour de conduire, la voiture brinquebalait, nos corps étaient en mode vibreur, mon père disait haaaaaaaaaaa et s'amusait des soubresauts de sa voix.

De lourds nuages noirs encombraient le ciel, il n'arrêtait pas d'annoncer que ça allait « peuter », et chaque fois on se marrait comme des gosses. La route ondulait paresseusement au milieu d'une végétation encore dense. Avant de m'y intéresser pour les préparatifs, j'imaginais la Route 66 comme un long ruban noir traversant des paysages arides, mais c'est uniquement à partir du Nouveau-Mexique que l'on plonge dans un décor de western, et c'est justement notre destination. Les villages se faisaient de plus en plus rares, et chacun proposait son lot d'attractions pour satisfaire le touriste.

Nous avons fait une courte halte au Chain of Rocks Bridge, qui enjambe le Mississippi, un pied dans l'Illinois et l'autre dans le Missouri. Mon père a regretté de ne pas avoir emporté son matériel de pêche, oubliant qu'il était parti en fumée. Ma sœur a évoqué la fois où il avait plongé pour secourir un chien tombé dans la rivière dans laquelle il avait installé sa canne. Sa maîtresse était tétanisée, seules ses cordes vocales fonctionnaient encore. L'animal n'avait même pas essayé de nager, il avait directement imité l'enclume. Sous nos yeux écarquillés, notre père avait sauté tout habillé et sauvé Rocky. La dame avait vertement réprimandé son compagnon poilu, avant de s'éloigner sans un merci pour le héros.

— J'aurais dû le remettre dans l'eau, a-t-il conclu.

— T'aurais dû y jeter sa maîtresse, ai-je rectifié.

— T'étais chic, avec ton tee-shirt mouillé, a raillé ma sœur.

On dépose nos affaires à l'hôtel que j'ai réservé à Saint-Louis, et on part visiter les alentours à pied. On regrette rapidement d'avoir choisi de passer la nuit ici. Excepté la majestueuse arche qui la surplombe, la ville ne nous charme pas. Nous arpentons les trottoirs à la recherche d'une excitation qui ne vient pas. Adèle et moi sommes absorbées dans une conversation depuis plusieurs minutes quand nous remarquons que nous sommes seules. Mon père, qui marchait juste derrière nous, a disparu. On rebrousse chemin en tournant la tête dans tous les sens comme deux lances d'arrosage automatique.

On le retrouve vite, le nez contre la vitrine d'un tatoueur.

— Je veux la même, lâche-t-il en désignant la photo d'une plume sur une épaule.

— C'est pas possible, répond Adèle. Ça ne se fait pas sans rendez-vous.

Il hausse les épaules, visiblement déçu, et nous laisse l'entraîner vers la suite de notre promenade. Au bout de quelques pas, je fais brusquement demi-tour et pousse la porte de l'atelier.

C'est un intérieur moderne, avec sol en marbre et murs blancs, recouverts de cadres parfaitement alignés, présentant leurs œuvres. Une jeune femme aux cheveux platine m'accueille avec un sourire criblé de strass. En quelques mots, entrecoupés de nombreuses hésitations en raison d'une maîtrise aléatoire de la langue, je lui explique la situation. Je m'attends à ce qu'elle m'éconduise poliment, mais, à ma grande surprise, elle m'annonce que ses collègues sont tous occupés, mais qu'elle est justement disponible.

Quatre heures plus tard, quand nous quittons la boutique, mon père claque la bise à sa nouvelle copine.

— Au revoir, Jean ! fait-elle avec un fort accent.

Comme lors de son premier tatouage, il a fanfaronné tout au long du piquage. Il n'est pas peu fier d'arborer une magnifique plume sur le biceps.

— Dis la vérité, papa, lui glisse Adèle. T'as eu mal ?

— Quand elle s'est approchée de l'intérieur du bras, j'ai failli lui apprendre des gros mots en français.

Il sort une cigarette de sa boîte, l'allume et sourit en regardant la plume sur notre avant-bras :

— Et vous, vous avez eu mal ?

Chapitre 75

« Child in Time » – Deep Purple

— Ma mère a toujours détesté les tatouages.

Mon père fume une dernière cigarette devant l'hôtel. La nuit a fait tomber son voile noir sur Saint-Louis depuis longtemps. Assis sur un banc, face au parking, on écoute le murmure de la ville et la mémoire de notre père.

— Je ne lui en ai jamais montré aucun. C'était une autre époque, les tatouages étaient pour les voyous. Ma sœur Marie-France en a un sur l'omoplate. Une fois, mamie l'a vu à travers son tee-shirt, je vous dis pas ce qu'elle lui a mis. (Il sourit.) Quand on était petits, on s'est pris un paquet de roustes. Je lui en veux pas, ça devait pas être simple d'élever trois marmots toute seule. On n'était pas faciles, en plus, il paraît que j'ai pissé au lit jusqu'à dix ans, et Marie-France ne savait pas écrire à huit ans. Y a que Jacques qui était parfait. Quand votre grand-père est mort, elle a dû travailler. Elle faisait les ménages dans des entreprises, elle détestait. Je l'ai entendue dire à ma tante Michelle que des gens faisaient exprès de salir les toilettes et riaient en la regardant nettoyer. Parfois, quand je me relevais le soir, je la voyais pleurer. J'ai essayé de lui faire un câlin, mais elle m'a mis une gifle et m'a hurlé d'aller me coucher. Elle nous aimait, j'en suis sûr, mais elle savait pas le montrer. On n'avait pas un sou, mais on manquait de rien, on avait toujours des habits propres et de quoi manger.

— Tu n'as jamais eu de câlin ? je demande.

— Une fois. Le jour où Jacques a eu son accident. J'oublierai jamais, tu parles. J'avais dix ans. Le gendarme lui a annoncé ça comme ça, j'étais à côté, elle m'a serré dans ses bras. Je suis même pas sûr que c'était vraiment moi qu'elle serrait. Bref, je sais pas pourquoi je vous raconte tout ça. J'aime pas trop remuer le passé, ça sert à rien, et ça fait de la peine.

— Il est décédé comment, ton frère ?

— Une voiture l'a renversé sur le chemin du collège. Il était gentil, on jouait aux cow-boys et aux Indiens, il faisait toujours l'Indien. Il m'aidait à faire mes devoirs aussi, il était fort en maths. Moi, c'était plutôt l'orthographe. Le maître me faisait corriger les dictées tellement j'étais bon. Il s'appelait monsieur Dameme. Il nous faisait rire, il parlait à son béret et il se curait les oreilles avec les branches de ses lunettes, qu'il mettait ensuite dans sa bouche.

Il allume une nouvelle cigarette. Cela me ravit : les confidences vont se poursuivre. C'est la première fois qu'il nous parle de son enfance.

— J'ai eu mon certificat d'études, j'ai fait deux ans au collège et j'ai été apprenti chez un carrossier. Je donnais mon salaire à ma mère, comme ça elle a pu arrêter les ménages. Enfin, pour être honnête, avec ma première paye, je suis allé au bordel.

On éclate de rire tous les trois.

— T'étais comment, adolescent ? questionne Adèle.

— Je faisais beaucoup de conneries. Quand je travaillais pas, je traînais avec ma bande. On volait des mobylettes à des mecs des beaux quartiers et on les refourguait à nos copains de la cité. J'en suis pas fier, mais à l'époque on avait l'impression d'être Robin des bois. Quand les flics nous poursuivaient, on les semait en empruntant des chemins trop étroits pour leur voiture, on connaissait tous les passages. Après, on grimpait tout en haut du château d'eau et on accrochait un drapeau avec une tête de mort, pour les narguer. Quand je rentrais, ma mère m'accueillait avec le martinet, je faisais moins le malin.

Je reçois ses confidences comme des coups. Je pense à Charlie, à tout l'amour dont il a besoin, à la tendresse qu'il vient chercher dans nos bras, dans nos mots. Mon père n'a pas connu ça. Personne ne l'a consolé, personne ne l'a rassuré, personne ne l'a câliné, personne ne l'a encouragé. J'imagine le petit garçon des photos en noir et blanc attendre un amour qui n'est jamais venu, et ça me lacère le cœur.

Mon père a vécu toute sa vie l'enfance qu'il n'a pas eue.

Il écrase sa cigarette par terre et range le mégot dans sa boîte en métal :

— Je ne lui montrerai pas mon nouveau tatouage. Elle n'a jamais aimé ça.

Chapitre 76

« Don't Cry » – Guns N' Roses

Saint-Louis marque le point de départ du Grand Ouest. Le paysage change, on pénètre dans les Ozarks, chaîne de montagnes verdoyantes qui s'étend à perte de vue. La route serpente entre forêts et villes sous une pluie battante.

J'ai connecté le poste à mon téléphone et j'envoie mes titres préférés, l'air de rien. Pourtant, j'ai l'impression de m'effeuiller à chaque nouvelle chanson. Les notes livrent mes émotions mieux que je ne saurais les décrire. « Babe I'm Gonna Leave you » murmure ma nostalgie, « Creep » dit mes désillusions, « Grace » crie mon optimisme, « November Rain » dévoile ma nostalgie, « Sunday Bloody Sunday » scande ma colère, « Nothing Else Matter » clame ma fragilité, « Nobody's Wife » affirme ma force. Jeff Buckley, Radiohead, U2, Mars Volta, Cranberries, No Doubt, Portishead, Anouk, Nirvana, révèlent ce que mes mots taisent. Mon père approuve, quand il ne se moque pas de mes goûts.

— Je rêvais de faire de la guitare quand j'étais gosse, déclare-t-il pendant un solo de Slash. J'avais un poster d'Hendrix au mur de ma chambre.

— Tu te souviens que j'en avais accroché un de Bob Marley ? répond la fayote qui sommeille en moi.

— Ah ? Tu en avais surtout un avec des chanteurs qui n'avaient pas les moyens d'acheter des chemises à leur taille.

— C'était pas moi, c'était Adèle ! Elle était fan des G Squad !

— Espèce de balance ! Dois-je te rappeler que tu connais toutes les chorés des Spice Girls ?

— J'ai eu ma petite période Mike Brant et Mireille Mathieu, intervient mon père, juste avant de se lancer dans une interprétation impeccable de « Une femme amoureuse ».

L'air éberlué de ma sœur m'achève, je suis prise d'un fou rire incontrôlable, dans lequel me rejoignent mes deux compagnons de route. Depuis le début du voyage, la musique est le quatrième passager. Elle accompagne nos pensées et berce nos siestes, elle enrichit nos conversations et habite nos silences.

On s'arrête sur un site conseillé par tous, le Devil's Elbow, qui porte ce nom en raison du virage que trace la rivière Big Piney, réputé dangereux à l'époque des embarcations de bois. La Route 66 n'emprunte plus le pont en acier construit en 1923, il nous faut effectuer un petit détour pour profiter du cadre bucolique. À peine sorti de la voiture, mon père se dirige vers un groupe de motards stationnés près de nous.

— *Beautiful !* fait-il, pouce en l'air, en admirant les Harley Davidson parfaitement alignées.

Les touristes entament la conversation, ma sœur fait office de traductrice. Ils sont une dizaine, originaires de Miami. Ce road trip était leur rêve depuis vingt ans.

— Moi aussi, dit mon père en articulant exagérément, comme si cela pouvait leur permettre de comprendre le français. Mes filles m'ont fait un beau cadeau.

La voix de ma sœur se noue en traduisant ce passage, heureusement, la discussion prend une autre direction.

Après deux heures à échanger sur nos modes de vie en sifflant des cannettes de soda, on décide qu'il est temps de reprendre la route. En nous voyant nous contorsionner pour obtenir un selfie convenable devant le pont, Damon, l'un des motards, propose magnanimement de nous prendre en photo. On prend la pose tous les trois, ouistiti, ça fait rire les Américains, et Damon lance :

— *Your daughters look like you.*

— Il dit qu'on te ressemble, glisse Adèle à mon père.

Il lève le menton. Il est fier.

Notre ressemblance ne s'offre pas au premier venu, elle se gagne, elle joue à cache-cache. Je n'ai pas sa silhouette longiligne, ses yeux bruns ou sa bouche fine, je n'ai pas sa fossette sur la joue gauche, ses pieds grecs et ses constellations de grains de beauté. C'est dans un tombé d'épaule, dans un mouvement de tête, dans un plissement de paupières, dans une intonation, dans une cambrure, dans une démarche ample, dans une allure désinvolte, que mon père a dissimulé son héritage.

Je lève le menton. Je suis fière.

Chapitre 77

« No Surprises » – Radiohead

À Galena, au Kansas, on s'arrête pour immortaliser les voitures du dessin animé *Cars*, alignées en bord de route. Charlie est euphorique quand il découvre les photos envoyées sur le téléphone de Gaëtan. Mon père cherche sa carte Vitale.

À Commerce, en Oklahoma, on fait halte devant la station Conoco, qui a vu passer Bonnie and Clyde. Mon père cherche ses clés.

À Foyil, nous visitons le Totem Pole Park, qui abrite le plus haut totem du monde, construit par un artiste à partir des années 30. Mon père se balade, s'intéresse, admire les œuvres, puis il se rend compte que son portable n'est plus chargé qu'à 86 % et ne pense plus qu'à ça.

À Catoosa, on s'arrête pour admirer la baleine bleue posée au bord d'un étang. Il ne sort de la voiture que pour fumer une cigarette et ne lève pas les yeux de son téléphone.

On passe la nuit à Tulsa, dans un motel qui n'a qu'une qualité : le fast-food qu'il jouxte. J'ai remarqué en arrivant qu'il était ouvert 24/24. Il est plus de minuit quand je me faufile hors de la chambre, après avoir longuement négocié avec ma culpabilité. Adèle dort comme une souche.

Il n'y a qu'un client, attablé face à un écran qui diffuse des clips en noir et blanc. La serveuse prend ma commande, je précise que je ne consommerai pas sur place. Les minutes qui suivent me semblent durer des heures. Je règle immédiatement, pour ne pas perdre une seconde supplémentaire.

Je m'enferme dans la voiture, garée devant nos chambres. J'enfourne le double cheeseburger, j'avale des poignées de frites, je fais glisser avec du Coca, je suis en apnée. Il ne me reste qu'un quart du sandwich quand mon estomac atteint ses limites. Je suis pleine, pourtant je suis incapable d'en laisser. J'attends quelques minutes, que la sensation de nausée s'estompe légèrement, et j'y retourne. J'enfonce les morceaux dans ma bouche, ce n'est même pas bon, ça me dégoûte. Je me dégoûte.

Quand je me glisse dans le lit, ma sœur pose sa tête contre mon épaule :

— Je sais ce que tu faisais, Juju.

Je ne réponds pas.

— Ça ne t'est pas passé ? insiste-t-elle.

— Ça dépend. C'est par périodes.

— Tu sais que ça porte un nom ?

— Je sais.

Hyperphagie. C'est une psychologue qui a mis un terme sur ce dont je souffre. Il s'agit d'un trouble des conduites alimentaires assimilé à la boulimie. Elle a ajouté qu'il existait des méthodes efficaces pour guérir et m'a donné les coordonnées d'un psychiatre spécialisé en addictologie. Je ne l'ai jamais appelé.

— On est toutes les deux, ma Juju.

Je la serre dans mes bras.

On traverse l'une des périodes les plus difficiles de notre vie. On assiste à un spectacle déchirant sur lequel nous n'avons aucune prise. Le premier homme de notre vie disparaît peu à peu. On ignore combien d'heures il nous reste avec lui. C'est terrible de vivre dans un compte à rebours. Mais on possède une force inégalable : on porte notre souffrance à deux.

J'attrape mon téléphone sur la table de chevet, j'ouvre les notes et j'écris :

— Prendre rendez-vous addictologue

— Réfléchir frère ou sœur Charlie

Chapitre 78

« Hey Joe » – Jimi Hendrix

Le paysage se métamorphose au fil des kilomètres. Les collines arborées cèdent peu à peu la place aux plaines arides. La végétation se fait rare, les villages que l'on traverse aussi. Mon père ne cesse de baisser toutes les vitres, ma sœur en referme systématiquement deux :

— Papa, ça fait courant d'air, j'ai les cheveux trop courts pour les attacher, ils me fouettent les yeux.

— M'en parle pas, les miens m'aveuglent.

Il fait la blague quinze fois par heure, je glousse quinze fois par heure.

Il a oublié ses ciseaux à ongles en France et ne cesse de les réclamer. On lui en a acheté une paire, mais ils ne lui plaisent pas.

— J'aimerais retrouver mes longues boucles, songe-t-il à voix haute, comme quand j'étais jeune. Je vais me les laisser pousser.

— Il te reste trois poils sur le caillou, dis-je en ricanant.

Dans le rétroviseur, ma sœur me fait les gros yeux.

— C'est une bonne idée, papa, fait-elle.

Elle a raison. Une minute plus tard, il reparle de ses ciseaux et a oublié sa décision.

Toute notre vie, on nous apprend que le mensonge est la pire option. Pourtant, je mens en affirmant à mon père que se laisser pousser les cheveux est une bonne idée. Je mens en faisant semblant de répondre pour la première fois à une question qu'il me pose pour la dixième fois. Je mens en prétendant que les merles mangent les cerises en mars. Je mens en assurant qu'il retournera chez lui. Je découvre que, parfois, mentir est la meilleure option.

Adèle nous fait partager la musique qu'elle aime. Barbara, Bashung, Biolay, Goldman, Cabrel, Sanson, Zazie, la musique française semble lui manquer. Aux premières notes de « La Chanson des vieux amants », de Brel, mon père monte le son :

— J'ai embrassé votre mère pour la première fois sur cette chanson. J'étais son tout premier amoureux, pourtant y avait du monde dans la file d'attente. Elle était magnifique, et gentille en plus, ce qui ne gâchait rien. Je l'ai draguée avec un poème. Je m'en souviens encore.

— C'était quoi ? questionne Adèle, excitée à l'idée de découvrir les mots qui ont séduit notre mère.

— Il était court, ça tenait en une phrase. « Si tu étais fleur et moi papillon, je passerais ma vie à te sucer le bouton. »

Je suis effarée, Adèle est hilare.

— Elle avait beaucoup ri, ajoute-t-il fièrement.

Il se perd un instant dans ses pensées, puis ajoute :

— J'ai fait le con. Si c'était à refaire, je ferais pas les mêmes erreurs.

— On en fait tous, dis-je pour l'empêcher de s'enfoncer dans les regrets.

Il ne m'écoute pas, son esprit s'est tourné vers hier.

On connaît l'histoire, on tenait les rôles secondaires. On a vu les yeux rouges, on a entendu les sanglots. Il était l'astre autour duquel on gravitait, il décidait parfois de s'éclipser, plongeant ma mère dans l'obscurité. Dans mes yeux de petite fille, il était un papa drôle, cool, gentil, qui ne nous grondait pas, ne nous imposait aucune contrainte. Il était de notre côté quand on ne voulait pas faire nos devoirs, aller à la douche ou au lit. Il prenait le temps de jouer avec nous, ma mère avait toujours autre chose à faire. J'en ai voulu à ma mère de nous priver de sa bonne humeur. C'est plus tard, après lui avoir fait payer son départ pendant des années, que j'ai compris qu'elle avait porté la famille à bout de bras, pendant qu'il se contentait de sa propre existence.

— Elle m'a laissé plusieurs chances, elle m'aimait vraiment. Je croyais qu'elle ne partirait jamais. On se rend souvent compte des choses quand il est trop tard. On devrait avoir un aperçu, on ferait moins de conneries. Enfin, ça sert à rien de remuer le passé. Malika est gentille, peut-être que je pourrais construire quelque chose de sérieux avec elle.

Cette phrase me broie le cœur. Il commence à faire des projets à la fin du sablier.

— Et toi, Microbe, t'es heureuse avec Gaëtan ?

La question me prend de court. Mon père ne m'a jamais interrogée sur ma vie privée. Je réponds brièvement, tout va bien, rien à signaler, il me manque. Il hoche la tête d'un air satisfait :

— Tant mieux, je l'aime bien. Ça m'aurait emmerdé de devoir le supprimer.

Ma sœur entre à son tour dans la danse des confidences. Son couple connaît quelques turbulences, elles travaillent beaucoup toutes les deux et peinent à avoir un nouvel enfant.

— La flamme des débuts me manque, avoue-t-elle. Je sais que l'amour évolue, que la passion ne dure pas, mais quand même, parfois je m'ennuie sévèrement.

— J'aime pas trop Joanna, lâche mon père.

— Sérieusement, papa ? C'est super blessant, tu parles de ma femme ! Pourquoi tu ne l'aimes pas ?

Il hausse les épaules, comme chaque fois qu'il s'apprête à bouder :

— Parce qu'elle habite loin.

Ma sœur rigole, lui aussi, même s'il ne semble pas vraiment comprendre ce qu'il a dit de si drôle. Je m'enfonce dans le siège, tête contre le dossier, et je laisse la route me bercer. La voiture avale l'asphalte, les vastes plaines défilent, le soleil commence à décliner. Je ferme les yeux.

Il fait presque nuit lorsque nous arrivons à Oklahoma City, après de nombreuses pauses. La journée était plus douce que la veille. Mon père avait, la plupart du temps, les deux pieds dans la réalité, et a pris plaisir à découvrir les trésors historiques de la Mother Road. Ces longues périodes de normalité sont une illusion cruelle, il est tentant de se laisser aller à croire qu'on a peut-être exagéré, qu'on s'est inquiétées pour rien, que ce que l'on prenait pour des symptômes n'étaient que de légers flottements, que notre papa est redevenu comme avant.

J'ai pris le relais de ma sœur au volant, je trouve une place devant notre motel. Mon père râle, une voiture mal garée l'empêche d'ouvrir correctement sa portière. Il parvient tant bien que mal à se glisser à l'extérieur et allume une cigarette pendant qu'on se dirige vers l'accueil.

Quand on revient avec les clés, je donne un discret coup d'épaule à ma sœur :

— Mate son petit air satisfait. Il a fait une connerie.

— Putain, Juju, regarde le pare-brise.

Sous l'essuie-glace de la voiture gênante, notre père a glissé l'un de ses petits mots doux. Je le retire discrètement et, en découvrant son contenu, je manque de m'étouffer de rire.

« I dont spik english, mais
SI VOUS FAITES L'AMOUR AUSSI BIEN QUE
VOUS GAREZ VOTRE VOITURE,
NE VOUS ÉTONNEZ PAS D'ÊTRE COCU. »

Chapitre 79

« Puisque tu pars »
– Jean-Jacques Goldman

Le Texas est tel que je l'imaginais. Nous faisons sa connaissance au petit matin, sous un soleil ardent. Les plaines arides s'étendent à perte de vue, la végétation tente de timides apparitions, il peut se passer de longues minutes sans que l'on croise la moindre voiture.

Mon père est couronné d'un chapeau de cow-boy dégoté dans une station-service. Quand je l'ai vu en sortir, ainsi accoutré, des souvenirs enfouis ont éclaté comme des bulles de savon. Un, puis deux, puis un troisième, et encore d'autres, c'est une facette entière de mon père qui a rejailli. Il se déguisait. Tout était prétexte à se transformer en un autre que lui et à faire explorer la joie de ses filles. Outre le chevalier Jean Peuplu, qui combattait vaillamment les monstres nocturnes, plusieurs personnages me reviennent en mémoire.

L'ours Jean Némar, taillé dans un surplus de moquette, se grattait le dos contre le mur crépi et enfonçait sa main dans le pot de miel. Le pirate Jean Bon, avec sa serviette à carreaux qui cachait son œil et son tire-bouchon en guise de main, m'a emmenée au magasin de bricolage. Je n'étais pas peu fière, debout à l'avant du chariot comme à la proue d'un bateau. Il y avait aussi Jean Tille, avec son foulard autour du cou, son rouge sur les lèvres et son soutien-gorge débordant de chaussettes. Il modulait sa voix et adaptait sa posture, de manière à habiter chaque personnage à la perfection. Il y en a eu d'autres, j'ai de fugaces images d'un bûcheron et d'un chien fou, mais je ne parviens pas à les reconstituer entièrement.

Ce dont je me souviens parfaitement, en revanche, c'est son masque hideux. C'était un visage masculin en latex, très réaliste. Sous une chevelure jaunâtre éparse se trouvaient, figés dans une grimace effrayante, un long menton, une denture aérée, un nez proéminent, des pommettes rouges, des oreilles démesurées et des petits yeux plissés. C'était consécutif à sa phase déguisement. Nous étions plus grandes, ma mère était déjà partie. Un vendredi soir, il nous a ouvert la porte avec ce masque. Mon cri a fait trembler les vitres de tout le quartier. Madame Roustaing, la voisine d'en face, n'a pas tardé à rappliquer. Elle est entrée dans le jardin d'un pas décidé, espérant trouver chez mon père un potin croustillant. Je n'ai jamais vu un demi-tour aussi rapide. On aurait dit une toupie. Mon père a voulu la rassurer, il lui a couru derrière avec son masque, elle s'est enfermée chez elle en implorant le ciel. On en a ri pendant deux jours.

Mais ce masque a surtout servi de répulsif à démarcheurs. Chaque fois qu'un inconnu sonnait chez mon père, il l'accueillait avec. Parfois, ma sœur et moi avions le privilège de l'enfiler et d'être ainsi aux premières loges de la terreur des pauvres représentants.

J'ai passé des années à laisser le passé à sa place. Depuis plusieurs semaines, il vient régulièrement me visiter, comme si le fait de déplacer un élément central de cette période faisait bouger tous les repères. La maladie de mon père a jeté un pont vers mon enfance.

— Waouh ! lâche-t-il en tendant son doigt vers le pare-brise.

En effet, waouh. Nous venons de pénétrer dans le Canyon de Palo Duro, près d'Amarillo. Ce parc n'usurpe pas son surnom de « Grand Canyon du Texas ». La route s'enfonce au creux du canyon, bordée de roches rouges. On s'arrête à plusieurs reprises pour admirer ce panorama époustouflant. On se sent minuscules à côté des majestueuses falaises qui se dressent au milieu des terres arides. La plus impressionnante est sans doute Lighthouse Peak, qui ressemble à un phare. On se croirait dans un western.

Aucun de nous n'ouvre la bouche. Tous nos sens sont dirigés vers la beauté. On admire, on contemple, on inspire à pleins poumons, on ressent.

Mon père observe partout, en bas, en haut, la main en casquette, il semble happé par la splendeur du lieu. Peut-être son imagination installe-t-elle des tipis, peut-être voit-il passer un Indien à dos de cheval, peut-être entend-il la cavalcade des bisons.

On s'approche de lui, on l'entoure de nos bras, il soupire :

— Je sais pas où est ma carte Vitale.

Chapitre 80

« Born to Be Wild » – Steppenwolf

Ce n'était pas prévu, c'est la rencontre à Devil's Elbow qui nous a donné l'idée. On a vérifié que le permis de mon père se trouvait dans son portefeuille. On a attendu d'atteindre les décors désertiques, semblables à ceux du film *Easy Rider*. On a pesé le pour et le contre, pris en compte ses troubles spatio-temporels. On a décidé qu'un rêve valait bien quelques risques. On lui a juste imposé le casque, facultatif ici.

On n'a aucun regret.

Il faut le voir, fendant le Far-West sur sa monture pétaradante, ses longues guiboles pliées, ses bras tendus vers l'avant. Les montagnes assoiffées lui font la haie d'honneur, des grappes de nuages joufflus l'accompagnent paresseusement.

On roule juste derrière lui, musique à fond, larmes aux yeux.

Il n'y a pas cru, quand on s'est garés devant l'agence de location. Sa Harley était prête, drapeau tricolore flottant à l'arrière. Il nous regardait, hébété, comme un gamin devant un cadeau trop beau pour lui.

Dès les premiers tours de roues, l'assurance a pris le dessus.

— C'est comme le vélo, nous a-t-il dit quand on lui a demandé s'il savait toujours conduire une moto. Ça ne s'oublie pas.

La dernière fois, c'était il y a une vingtaine d'années, au mariage de sa sœur. Une haie de motards, dont il faisait partie, escortait le jeune couple. Sa vieille guimbarde est tombée en panne ce soir-là, il n'a jamais eu les moyens d'en acheter une autre.

— Il est à sa place, murmure Adèle.

C'est exactement ça. Même à cette distance, on remarque son corps détendu, comme apaisé. Il salue d'un geste les motards qu'il croise. Ceux qui l'aperçoivent ne peuvent imaginer que cette carcasse fringante abrite une raison qui se noie.

Je monte le son. Les barbus de ZZ Top jouent « La Grange ». Il n'y a rien de plus déchirant qu'une chanson joyeuse sur un moment triste.

Il ralentit à l'abord d'une station-service, puis s'y engage, sans avoir signalé son intention. Nous le suivons et nous garons à côté de lui. Quand il tourne la tête dans notre direction, ma gorge

expulse un sanglot silencieux. Comme un sou-
bresaut, un spasme qui ne me laisse pas le choix.
Mon corps n'a pas supporté autant de bonheur.
Je n'ai jamais vu son visage aussi radieux. C'est
encore pire quand il retire ses lunettes de soleil.
Il y a dans ses yeux cet éclat, comme un soulagement, un abandon, celui qu'on trouve dans
le regard de ceux qui ont enfin trouvé ce qu'ils
avaient longtemps cherché. Il est arrivé.

— Je sais pas où j'ai mis mes clopes, fait-il en
tâtant les poches de son jean.

Je lui en tends une, avec son briquet. Il allume
la cigarette et caresse la selle de la Harley.

— C'était mon rêve.

Il lâche l'information comme si c'était la première fois qu'il nous la donnait.

— Et alors ? questionne Adèle. C'est aussi bien
que dans ton imagination ?

Il réfléchit quelques secondes et tire sur sa
clope :

— Ça remue ! J'ai le dos en compote, j'ai
bouffé un paquet de moucherons, mais j'ai l'impression d'avoir vingt ans, et la vie devant moi. Je
me suis jamais senti aussi libre. J'ai toujours cru
qu'il fallait pas réaliser ses rêves. Je pensais que la
réalité était forcément moins bien. Comme quoi,
ça m'arrive de me tromper.

On rit, comme à tout ce qu'il dit désormais.
On a passé des années à lever les yeux au ciel face

à ses blagues pas forcément drôles, et maintenant, on les attend, on les espère, on ne veut pas qu'elles disparaissent.

Il jette sa cigarette dans la gourde que l'on transformée en cendrier au début du périple et nous dévisage gravement :

— J'ai pas toujours été un exemple, mes filles, mais là il faut que vous m'écoutiez. Vous devez réaliser vos rêves d'enfant. Vous en avez, pas vrai ?

Ma sœur hoche la tête :

— Je voulais toucher mon nez avec ma langue. Encore quelques années d'affaissement, et j'y arriverai.

Elle fait une démonstration de sa souplesse, mon père ne rit pas. Manifestement, il prend les rêves très au sérieux. Elle reprend :

— Je voulais adopter une baleine et sauver le monde de la misère, à un moment il faut savoir renoncer.

Je me rappelle sa période baleine, qui a duré jusqu'à ce qu'elle comprenne qu'elle serait malheureuse dans une baignoire.

— On a prévu de partir au Canada pour essayer d'en voir, se justifie-t-elle, on attendait que Nolan soit assez grand.

— Tu pourras essayer d'en kidnapper une, raille mon père. Et toi, Microbe, c'était quoi ton rêve ?

Il me faut plusieurs secondes de réflexion, pourtant il m'a accompagnée pendant longtemps.

— Je voulais être écrivaine.

Je suis tombée amoureuse du premier livre que j'ai lu. C'était intense, fusionnel, sensuel. J'aimais le murmure de ses pages tournées, la douce âpreté de son papier sous mes doigts, j'aimais son odeur, il m'emmenait loin de ma vie, dans des contrées inexplorées, dans des émotions vierges. Je passais le plus clair de mon temps avec lui et, quand je ne le pouvais, je n'avais qu'une hâte : le retrouver. Le soir, je m'échappais du quotidien pour le rejoindre sous la couverture. Quand j'ai tourné sa dernière page, j'ai connu mon premier vrai chagrin. Il était là, à portée de main, mais il n'y avait plus ce goût des premières fois, l'excitation de la découverte. C'est un autre qui m'a consolée. Puis, de ce deuxième, un troisième m'a guérie. J'ai enchaîné les aventures littéraires, chacune me laissant une trace indélébile. J'étais une lectrice infidèle, mais une lectrice avide et passionnée.

J'ai rapidement compris que les mots détenaient le pouvoir suprême : celui de faire vivre d'autres vies que la sienne et de provoquer des émotions intenses, rien qu'en étant posés les uns à la suite des autres.

J'ai commencé à écrire des poèmes. Pour ma sœur, pour ma mère, pour mon père, ma grand-mère, pour les anniversaires, les Noëls, et sans raison aussi. Je cherchais le mot précis, la tournure exacte, le bon rythme, et rien, rien au monde ne me procurait plus de plaisir que de les trouver.

Quand on me demandait ce que je voulais faire plus tard, je répondais invariablement : « raconter des histoires ».

J'ai gagné un concours de nouvelles au collège. Tout le monde, professeurs et famille, louait ma plume et mon imagination.

J'avançais dans la vie avec cette certitude : je serais écrivaine.

Mais j'ai fait une mauvaise rencontre : la maturité.

Elle m'a dit que c'était une chimère, qu'il fallait que je sois sérieuse, que personne ne me lirait, que je devais laisser ça à ceux qui avaient du talent. Elle m'a répété que je n'en étais pas capable, et je l'ai crue, alors j'ai rangé mon rêve dans un placard, et mes livres avec. Je n'ai pas lu un roman depuis près de vingt ans.

Mon rêve s'est éteint en même temps que mon enfance, la raison m'avait rattrapée par la peau du cou.

— J'ai gardé tes poèmes, répond ma sœur. T'étais douée.

Mon père s'esclaffe :

— T'auras qu'à écrire un livre sur le vieux qui réalise son rêve ! Bon, allez, les filles, on reprend la route ?

Il est passé à autre chose. Sans attendre notre réaction, il enjambe la moto et remet ses lunettes. J'avise le second casque fourni par l'agence de location, posé sur le siège arrière. Adèle m'encourage d'un sourire.

À peine a-t-on repris la route que j'ai déjà le dos en compote et bouffé un paquet de moucherons. Mais je m'en fiche, parce que je suis la passagère du bonheur de mon père.

Chapitre 81

« Grace » – Jeff Buckley

C'est la dernière nuit avant la finalité de notre voyage. Nous sommes arrivés à destination en fin d'après-midi. On n'a pas visité la ville, pour garder la surprise intacte. Le motel dans lequel nous séjournons possède son propre restaurant, c'est là que nous avons dîné, avant de regagner nos chambres.

Adèle chante à tue-tête sous la douche tandis que je tente de réconforter Charlie. Je l'ai appelé pour lui souhaiter une bonne nuit, il s'est effondré au moment de raccrocher.

— Mon chéri, je serai bientôt là. Tu t'amuses bien avec Nolan ?

— Oui, mais tu me manques.

— Toi aussi, tu me manques beaucoup. Je prends plein de photos, j'ai hâte de te les montrer, tu vas adorer. Je t'ai dit que j'avais fait de la moto ?

— C'est vrai ? s'écrie-t-il. T'as monté devant ou derrière ?

Je ne le corrige pas. Je ne le corrige plus.

Il m'aura fallu des années, et l'exemple d'un homme pas comme les autres, pour que la différence de mon fils ne soit plus un problème.

Il est atteint de dysphasie, et il est aussi tendre, drôle, bourré d'empathie, râleur, secret, futé. Il ne se résume pas à son diagnostic. Il est tellement plus que ça.

— J'étais à l'arrière, bien accrochée à papy. Allez, mon chéri, je t'appellerai demain matin. Il est l'heure d'aller au chnouf.

Je suis aussi surprise que lui d'entendre ce mot dans ma bouche.

— Maman ! T'as dit que le chnouf, ça existe pas !

— Ça existe dans notre famille. Allez, bonne nuit, mon amour.

À peine ai-je raccroché qu'Adèle sort de la salle de bains encore trempée, sa trousse de toilette à la main :

— On a oublié de donner les médicaments à papa. Tu peux y aller ?

Je quitte notre chambre et frappe à la porte de celle, voisine, de mon père. Une fois. Deux fois. Trois fois. Adèle me rejoint.

La personne de l'accueil tente de l'appeler sur le téléphone fixe. Son portable est éteint. Il ne répond pas. Elle refuse de nous ouvrir la porte, malgré nos supplications. Elle finit par disparaître quelques minutes dans le local derrière le comptoir. Elle réapparaît en affirmant que notre père n'est pas dans sa chambre. Elle refuse de nous donner plus de détails, mais nous fait comprendre que les caméras en attestent.

On est mortes de trouille. Les chambres donnent directement sur l'extérieur, il peut être partout. Il peut être blessé. Il peut être perdu. Il peut être terrorisé.

On devrait se séparer, pour multiplier les chances de le retrouver, mais, sans même se concerter, on décide qu'on a besoin d'être ensemble.

On arpente les allées, les couloirs, on fouille les salles communes, on interroge toutes les personnes que l'on croise. Il ne semble pas être à l'intérieur. En ne le trouvant pas sur le parking, je regrette de lui avoir fait prendre ce risque. L'emmener loin de ses repères et le laisser dormir seul était inconscient. On a eu de la chance qu'il ne disparaisse pas plus tôt.

On le retrouve sur le chemin qui mène à l'établissement. On lui saute dans les bras, il nous repousse :

— Qu'est-ce que j'ai ? demande-t-il.

— Comment ça ? je demande.

— Je déraille, hein ?

364

— T'as toujours déraillé, papa, répond Adèle en l'enlaçant à nouveau.

Qu'il le veuille ou non, on le serre de toutes nos forces. Il se laisse faire, je crois même déceler un léger sourire.

— Je cherchais ma carte Vitale, il est mal foutu, cet hôtel, aussi, c'est un labyrinthe.

On le ramène dans sa chambre, on reste un moment avec lui, à discuter de choses assez légères pour que son esprit s'envole. Je lui promets qu'à notre retour on installera un tipi dans le jardin. Quand on le quitte, il affirme aller bien, mais tout son corps dit le contraire. L'inquiétude s'est emparée de lui, elle l'étreint dans ses serres, elle va le dévorer.

On regagne notre chambre en se disant qu'il passera bientôt à autre chose, que c'est l'avantage de sa maladie, il aura bientôt oublié, on cherche à se rassurer, mais on n'y croit pas.

— Je vais te dire un truc horrible, Adèle. Je lui souhaite de mourir d'autre chose, avant d'avoir complètement perdu la boule.

— Juliane ! Je ne veux pas t'entendre dire ça.

— Moi non plus. Mais je ne peux pas m'empêcher de le penser.

Je ne m'en remettrai jamais. Je n'imagine pas un monde sans lui. Je refuse de l'imaginer. Ça arrivera bien assez tôt. Je ne me le souhaite pas, mais je le lui souhaite. Il a toujours déclaré, avec la désinvolture de ceux qui ne sont pas concernés, qu'il voulait qu'on le débranche, si un jour il perdait l'usage de son corps ou de sa tête. « L'un sans l'autre, ça marche pas », disait-il en riant. L'heure n'est plus à la blague quand ça devient palpable. Ce vœu aussi, je lui souhaite de le réaliser. Je ne serai jamais prête, il sera toujours trop tôt. Quel que soit son âge, perdre ses parents, c'est un chagrin d'enfant. La petite fille en moi pleure à gros bouillons en tenant la main de sa sœur.

— Il y a de vilains monstres dans la chambre de papa, dis-je à Adèle.

— T'as raison, ma Juju. Deux chevaliers ne seront pas de trop pour en venir à bout.

On frappe à la porte, il ouvre, prêt à râler.

Je n'oublierai jamais son rire, à l'instant où il découvre ses deux grandes filles, corbeilles sur la tête, draps autour du cou, armées de cintres et de stylos, prêtes à en découdre contre les monstres paternels.

Chapitre 82

« Stairway to Heaven »
– Led Zeppelin

La musique nous parvient avant l'image. Le battement des tambours parcourt la terre, l'air, rebondit sur les murs et fait vibrer nos corps. Nous sommes assis au bord de la route, comme les centaines d'autres spectateurs. Mon père s'impatiente, il fume cigarette sur cigarette. Il ne sait pas encore ce qui l'attend.

Toute la journée, nous avons réussi à l'empêcher de découvrir la ville. Il fallait que la surprise soit totale.

Nous avons atteint notre destination.

Gallup est une ville de vingt mille habitants, située dans l'état du Nouveau-Mexique. Elle est connue pour avoir été, à l'âge d'or des westerns, le décor de nombreux films. Surtout, et c'est le point d'orgue de notre périple, Gallup est considérée comme la capitale des Indiens d'Amérique.

Elle se trouve au cœur de plusieurs territoires tribaux, et une grande partie de ses habitants sont amérindiens.

Tous les ans, depuis près d'un siècle, Gallup accueille l'Inter-Tribal Ceremonial. Pendant plusieurs jours, des Indiens de toutes les tribus se réunissent pour danser et mettre à l'honneur leurs richesses traditionnelles. Les festivités démarrent ce soir, avec un événement d'importance : la parade.

La nuit tombe quand la première tribu approche. C'est surréaliste. Nous avons sauté dans les cadres accrochés aux murs de la maison familiale. Les images immobiles ont pris vie. À quelques mètres de nous, des hommes et des femmes défilent dans leurs habits traditionnels.

Les premiers sont les Hopis, sautillant dans leur tenue blanche, parfaitement synchronisés. La foule les acclame, je tourne la tête vers mon père au même moment que ma sœur. Elle m'adresse un sourire, et dedans je lis qu'on a réussi. Les yeux de notre père sont écarquillés, il est en extase face au spectacle. Les Apache Crown Dancers prennent le relais, masqués de noir, la tête surmontée d'un large éventail de bois. Leurs chants aigus s'élèvent tandis qu'ils tournoient en rythme. Les tribus se suivent, chacune avec sa musique, chacune avec sa tenue. Les Sioux, les Kiowas, c'est une explosion de couleurs, de sons, les Cheyennes, les

Navajos, les tambours pulsent dans mes veines, les plumes volent sur les bras, sur les jambes, sur les têtes, les pieds bondissent dans un tintement de clochettes, les voix s'envolent comme de douloureuses plaintes, mes larmes coulent, c'est leur histoire qu'ils dansent, leur destin tragique qu'ils crient, et malgré tout, il en ressort une éclatante beauté.

Quelle drôle de métaphore.

Ces derniers mois ont été parmi les plus douloureux de mon existence. Les prochains le seront plus encore. Il y a la peur, le chagrin, les regrets, il y a le gouffre béant qui me tend les bras, mais il y a aussi, surtout, un trajet de retour d'école avec la musique à fond, un interrogatoire dans un poste de sécurité au supermarché, un mot posé sur une voiture, un jogging-confidences, des CD dans un cerisier, un concert de rock dans la fosse, une coiffe d'Indien à la kermesse.

Même au creux des moments les plus sombres, il arrive qu'on rencontre un instant suspendu de bonheur.

C'est la dernière tribu, la fin de la parade. Les chants ancestraux sont plus puissants que jamais, le public est en transe, les tambours battent la chamade. Les danseurs avancent en ligne, sur toute la largeur de la rue. Mi-hommes, mi-aigles, ils battent leurs bras couverts de plumes, virevoltent sur la pointe des pieds, balancent leurs jambes parées de clochettes. Du coin de l'œil, je vois la silhouette de mon père se lever. Je n'ai pas le temps de le retenir, il rejoint les danseurs, se mêle à eux, je m'attends à ce qu'ils lui demandent de partir, mais, comme s'ils savaient, comme s'ils le reconnaissaient, ils lui font une place parmi eux. Les yeux mi-clos, la tête baissée, il est loin, dans les grandes plaines d'Amérique, un soir de pow-wow, il sautille, tournoie, décolle, bat des ailes.

Ma sœur me sourit entre ses joues inondées. Je pose ma tête sur son épaule.

Vole, papa.

Épilogue

Il est trois heures du matin. Le sommeil ne veut pas de moi, malgré mes tentatives pour le séduire. Je me glisse hors du lit et quitte la chambre sans un bruit. Gaëtan dort profondément, tout comme Charlie. Une image m'en empêche, toujours la même. Une station-service, perdue au milieu du désert américain.

Je m'installe dans la chambre d'amis et j'ouvre l'ordinateur. L'écran s'éclaire.

Je ne suis pas sûre d'y arriver. C'est un sujet encore douloureux, qui m'écorche et me déchire.

J'ouvre un nouveau document. Une page blanche s'affiche.

Il y a deux ans, j'ai fait une promesse muette à un homme debout à côté d'une moto. Il est temps que je la tienne.

Je place mes doigts sur le clavier et fixe le curseur qui clignote. Apache pose sa tête sur mes pieds.

Je ne sais pas si j'irai au bout, je ne sais pas si quelqu'un lira, je ne sais même pas par où commencer. Mais je vais raconter une histoire, comme dans mon rêve d'enfant.

L'histoire d'un père un peu loufoque, un peu original, qui déraillait un peu et s'est mis à dérailler beaucoup.

L'histoire de mon merveilleux papa.

L'histoire du vieux qui réalise son rêve.

J'enfonce une touche. C'est parti.

Les possibles.

Papa.
C'est le premier mot que j'aie su prononcer.
Sur l'écran, la vidéo saute. La voix de mon père
m'encourage à répéter, encore et encore.
Assise sur une chaise haute en bois,
le visage couvert de purée orange,
j'enchaîne fièrement les syllabes, sans mesurer
la déflagration qu'elles provoquent en lui.

FIN

REMERCIEMENTS

Merci papa.

Pour ta liberté, ta gentillesse, ton grain de folie, ta résilience, ton autodérision. Pour les milliers de fous rires, les appels au mauvais moment, les bouderies qui disent ce que les mots n'osent dire.

Surtout, un immense merci pour les deux enseignements que tu m'as offerts, sans même le chercher, rien qu'en étant toi.

Tu m'as appris qu'on n'était pas obligé de marcher sur les lignes, qu'on avait le droit de faire la roue à côté. Tu m'as appris le pouvoir de l'humour, la puissance du rire. Ce sont mes plus précieux héritages.

Je veille sur nos souvenirs pour nous deux. Il y en aura d'autres, un paquet d'autres. Tant que la partie n'est pas finie, il est encore l'heure de tous les possibles.

Merci Juliane Kouyoumdjian-Sommer.

Quand tes amies m'ont contactée, l'année dernière, pour me demander de te faire une surprise pour tes quarante ans, elles m'ont décrit une femme drôle, forte et généreuse. J'ai eu quelques mois pour me rendre compte à quel point elles avaient raison.

Je regretterai toute ma vie de ne pas avoir eu le temps de te rencontrer « en vrai ».

Un immense merci à ta famille, ton mari et tes filles, de m'avoir permis de donner ton prénom à l'héroïne de ce roman. J'espère qu'il y a des librairies, là où tu es.

Merci à mon tout premier lecteur, qui a la bonne idée d'être aussi mon mari. Chaque soir, je t'empêche d'aller te coucher avant d'avoir lu ce que j'ai écrit. Je scrute ton visage, je guette tes rires, j'attends tes larmes, et j'y retourne, gonflée à bloc. Tu es le meilleur carburant, en plus d'être le meilleur partenaire de vie.

Merci à mes enfants d'embellir les jours et d'éclairer les nuits. Un jour, j'espère que vous lirez mes livres, et que vous découvrirez la femme sous le costume de mère. Je vous aime jusqu'à Star Wars.

Merci à mes proches, pour votre présence et votre amour : maman, mamie, papy, Marie, Yanis, Lily, Micha, Mimi, Gil, Céline, Carole, Claudine, Marc, Guy, Chatonne, Baptiste, Marine, Cynthia, Sophie, Justine, Faustine.

Merci, pour votre lecture attentive et vos commentaires précieux : Serena Giuliano, Cynthia Kafka, Marie Vareille, Baptiste Beaulieu, Constance Trapenard, Muriel Tisserand, Michael Palmeira, Sophie

Bordelais, Florence Prévoteau, Marine Climent, Camille Anseaume.

Merci Serena Giuliano de m'accompagner tout au long de l'écriture, mais surtout tout au long de la vie. Ta présence allège les épreuves et décuple les bonheurs. Merci d'écouter si bien et de comprendre si fort. Merci de faire la roue à côté des lignes avec moi. Tu es l'autre sœur, que j'ai choisie.

Merci aux deux autres Bertiti, Cynthia Kafka et Sophie Henrionnet, pour cette amitié folle, et cette année qui ne l'était pas moins. Être coupée du monde aura été plus doux avec vous de l'autre côté des écrans. Merci d'être ces gamines cachées dans des corps d'adultes.

Merci Alexandrine, ma chère éditrice, et bien plus que ça. Merci pour ton regard sur mes textes, pour tes mots qui ont le pouvoir de me rassurer chaque fois que je t'annonce que je veux tout effacer, merci de savoir entendre, et surtout dire.

Merci Sophie de Closets, pour la confiance, la présence, l'humour, et la belle peau.

Merci à toutes les personnes qui se cachent derrière les éditions Fayard, aussi talentueuses, créatives et passionnées qu'humaines, drôles et bienveillantes : Jérôme Laissus, Sophie Hogg-Grandjean, Katy Fenech, Laurent Bertail, Carole Saudejaud, Catherine

Bourgey, Éléonore Delair, Florian Madisclaire, Pauline Duval, Romain Fournier, Pauline Faure, Ariane Foubert, Lily Salter, Véronique Héron, Iris Neron-Bancel, Florence Ameline, Clémence Gueudre, Anne Schuliar, Delphine Pannetier, Martine Thibet.

Merci à toute l'équipe du Livre de Poche, de m'accompagner avec tendresse et enthousiasme depuis six ans : Béatrice Duval, Audrey Petit, Zoé Niewdanski, Sylvie Navellou, Claire Lauxerrois, Anne Bouissy, Florence Mas, Dominique Laude, William Koenig, Bénédicte Beaujouan, Antoinette Bouvier.

Merci à Colette Roumanoff. Un jour, je suis tombée sur une émission dont vous étiez l'invitée et dont le thème était : « Changer de regard sur la maladie d'Alzheimer ». Vous m'avez fait comprendre qu'il ne fallait pas essayer de retenir l'autre dans ce monde, mais plutôt passer une tête dans le sien. Merci pour le temps précieux que vous m'avez fait gagner.

Merci aux libraires de porter mes livres avec autant de ferveur. Cette année écoulée aura été difficile pour vous, merci de tenir bon, de garder la passion intacte, afin que la culture reste essentielle. Merci pour ces liens que l'on crée, au fil des rencontres, j'ai hâte de revenir vous voir.

Merci aux représentantes et aux représentants d'être des maillons si importants de cette jolie chaîne du livre, d'agir dans l'ombre pour mettre nos livres en lumière.

Merci aux blogueuses et aux blogueurs littéraires pour vos photos et vos chroniques. Je suis toujours émue du temps que vous prenez juste pour partager votre passion et faire découvrir vos coups de cœur aux autres.

Merci aux lectrices et aux lecteurs. On me demande souvent si écrire est thérapeutique. Ça l'est, d'une certaine manière, mais une chose l'est plus encore : les échanges avec vous.

Quand j'écris, mes émotions sont en ébullition. Je suis à vif, à poil, écorchée, je pleure, je ris (heureusement, aucune caméra n'est cachée chez moi). Quand j'ai terminé, je compte les jours jusqu'à la parution, en n'ayant qu'une peur : que mes émotions ne vous parviennent pas.

Et puis, le jour de la sortie arrive. Grâce aux réseaux sociaux, je reçois de vos nouvelles en temps réel. Un message, puis deux, puis dix. Vous me racontez. La scène qui vous a fait pleurer de rire. Le passage qui vous a fait pleurer tout court. Le personnage qui vous évoque quelqu'un de cher. La page que vous avez photographiée et envoyée à un proche. Le livre que vous avez offert. Le fou rire dans le lit, à côté du conjoint endormi. Les sanglots dans le métro. Le besoin d'appeler vos parents. L'envie de serrer vos enfants.

Parfois, on se rencontre, lors de salons, lors de dédicaces. Les regards, les sourires racontent aussi. On tremble un peu, des larmes s'évadent, on ricane bêtement. En quelques mots, on se dit l'essentiel.

Qu'elles soient virtuelles ou réelles, ces rencontres avec vous sont aussi importantes que l'écriture. Elles me prouvent que les émotions sont un langage universel.

En écrivant des livres, je ne fais pas que raconter des histoires, j'échange avec vous.

Je vous remercie infiniment d'être de l'autre côté de mon clavier.

Le Livre de Poche s'engage pour l'environnement en réduisant l'empreinte carbone de ses livres. Celle de cet exemplaire est de : 300 g éq. CO$_2$ Rendez-vous sur www.livredepoche-durable.fr

PAPIER À BASE DE FIBRES CERTIFIÉES

Composition réalisée par PCA

Achevé d'imprimer en avril 2022 en France par
MAURY IMPRIMEUR – 45330 Malesherbes
Dépôt légal 1re publication : mai 2022
N° d'impression : 261871
LIBRAIRIE GÉNÉRALE FRANÇAISE
21, rue du Montparnasse – 75298 Paris Cedex 06